趣向の陶磁器 その技法

Takashima Hiroo

高嶋廣夫

人間と歴史社

付表1-1 本書で用いた原料の銘柄とその素性

(化学分析値)

	SiO₂	Al₂O₃	Fe₂O₃	TiO₂	MgO	CaO	K₂O	Na₂O	Ig.loss	Total
福島長石	66.68	18.56	0.18	−	−	0.24	10.42	3.48	0.37	99.93
大平長石	68.31	17.14	0.07	−	0.01	0.85	9.20	3.56	0.22	99.36
"OF-11	76.24	13.11	0.08	0.02	0.04	0.43	6.98	2.83	0.27	100.00
三河砂婆	73.13	14.17	0.24	0.02	0.04	0.77	8.16	2.77	0.16	99.46
インド長石	66.64	17.47	0.04	0.01	−	0.29	13.17	1.79	0.59	100.00
福島珪石	98.62	0.56	0.03	−	−	0.39	0.05	0.28	−	99.93
韓国珪石	98.86	0.06	0.04	−	0.01	0.01	0.01	0.01	1.00	99.36
陣屋珪砂	98.12	0.63	0.09	−	−	−	0.21	−	−	99.05
朝鮮カオリン	47.97	37.18	0.35	−	0.01	0.41	0.58	0.28	12.49	99.27
陣屋蛙目	48.90	33.47	1.10	0.56	0.26	0.17	1.50	0.09	13.97	99.99
本山木節	44.94	35.05	1.31	0.89	0.30	0.22	0.76	0.07	16.14	99.68
鼠石灰石	0.40	0.20	0.02	−	0.04	55.05	0.05	0.20	43.80	99.76
赤坂石灰石	0.21	0.20	0.05	−	0.33	55.21	−	−	43.96	99.96
大分ドロマイト	2.99	−	−	−	15.17	36.33	−	−	45.48	99.97
津久見苦土	4.46	0.83	0.08	−	17.64	33.08	−	−	43.85	99.46
桃色タルク	65.59	0.42	0.06	−	32.91	0.18	−	−	0.98	100.14
土灰	14.08	3.67	1.94	−	5.44	35.90	1.49	0.55	34.32	97.39
藁灰	50.94	0.51	0.52	−	0.29	2.30	1.99	0.61	42.60	99.76
暁白土原土	66.34	22.58	0.77	0.87	0.16	0.12	0.53	0.16	8.48	100.01
陣屋蛙目原土	82.26	10.82	0.26	0.13	0.04	0.08	2.54	0.63	3.24	100.00
ペタライト	76.01	18.32	0.19	−	0.33	−	0.42	0.64	0.72	96.63

(注. 土灰にはP₂O₅が2.14%、藁灰には0.19%含まれている。
ペタライトにはLi₂Oが4.28%含まれている。)

付表1-2　本書で用いた原料の銘柄とその素性

（ゼーゲル式）

	KNaO	MgO	Li₂O	CaO	Al₂O₃	SiO₂
福島長石	1.00	−	−	0.03	1.09	6.66
大平長石	1.00	−	−	0.01	1.08	7.33
"OF-11	1.00	0.01	−	0.06	1.07	10.59
三河砂婆	1.00	0.01	−	0.10	1.06	9.27
インド長石	1.00	−	−	0.03	1.02	6.58
福島珪石	−	−	−	−	−	1.00
韓国珪石	−	−	−	−	−	1.00
陣屋珪砂	−	−	−	−	−	1.00
朝鮮カオリン	0.03	−	−	0.01	1.00	2.19
陣屋蛙目	0.05	0.02	−	0.01	1.00	2.48
本山木節	0.03	0.02	−	0.01	1.00	2.18
鼠石灰石	−	−	−	1.00	−	0.01
赤坂石灰石	−	0.01	−	1.00	−	−
大分ドロマイト	−	0.37	−	0.63	−	0.05
津久見苦土	−	0.43	−	0.57	0.01	0.07
桃色タルク	−	1.00	−	−	0.01	1.34
土灰	0.03	0.17	−	0.83	0.05	0.30
藁灰	0.63	0.15	−	0.85	0.10	17.50
暁白土原土	0.04	0.02	−	0.01	1.00	4.99
陣屋蛙目原土	0.35	0.01	−	0.01	1.00	12.90
ペタライト	0.03	0.07	1.00	0.07	−	8.86

付表1-3　本書で用いた原料の銘柄とその素性

（構成鉱物組成）

	長石分	珪石分	粘土分	苦土分	石灰分	タルク分	K_2O分	燐酸分	その他
福島長石	90.80	4.78	3.97	－	0.43	－	－	－	0.01
大平長石	84.17	10.90	3.38	0.05	1.50	－	－	－	－
"OF-11	64.80	32.06	2.28	0.18	0.67	－	－	－	0.01
三河砂婆	71.47	25.06	2.00	0.18	1.28	－	－	－	0.01
インド長石	93.12	5.64	0.71	－	0.53	－	－	－	－
福島珪石	1.22	97.75	1.03	－	－	－	－	－	－
韓国珪石	0.15	99.73	0.08	0.04	－	－	－	－	－
陣屋珪砂	1.22	97.75	1.03	－	－	－	－	－	－
朝鮮カオリン	5.80	1.56	91.88	0.05	0.71	－	－	－	－
陣屋蛙目	9.80	5.52	83.79	1.24	−0.35	－	－	－	－
本山木節	5.30	1.52	92.09	1.46	−0.39	－	－	－	－
鼠石灰石	2.05	−0.74	−0.47	0.18	98.98	－	－	－	－
赤坂石灰石	－	−0.03	0.51	1.52	98.00	－	－	－	－
大分ドロマイト	－	－	－	69.70	27.30	－	－	－	－
津久見苦土	－	3.43	2.07	79.48	15.02	－	－	－	－
桃色タルク	−0.23	0.97	－	－	－	98.97	－	－	－
土灰	4.86	7.82	7.10	25.27	51.32	－	1.49	2.14	－
藁灰	9.17	82.68	−2.15	2.29	5.83	－	1.99	0.19	－
暁白土原土	4.54	38.61	56.29	0.75	−0.19	－	－	－	－
陣屋蛙目原土	20.33	61.39	18.05	0.19	0.04	－	－	－	－

	ペタライト分	粘土分	珪石分	その他
ペタライト	87.08	9.90	2.93	0.09

写真1　中国の西安で作られた紅釉（辰砂釉）の花瓶　第1章p.32参照

写真2　カラフルな下絵付け花瓶　第1章p.34、第2章p.38参照

写真3　カラフルな下絵付け皿　第1章p.34、第2章p.38参照

写真4　天目釉花器　第3章p.44参照

写真5　油滴天文釉をほどこした茶碗　第3章p.44参照

第1、2、3章口絵

写真6　伊羅保釉茶碗　第4章p.50参照

写真7　赤い鉄・骨灰斑紋釉をほどこした茶碗　第4章p.50参照

6

写真8　御本手をあしらった小茶碗　第5章p.53参照

写真9　亀甲貫入焼き小鉢　第6章p.57参照

写真10　亜鉛結晶釉の花器　第7章p.62参照

写真11　亜鉛結晶釉タイルと盃　第7章p.64参照

写真12　ジオプサイド結晶釉の小花器　第8章p.67〜参照

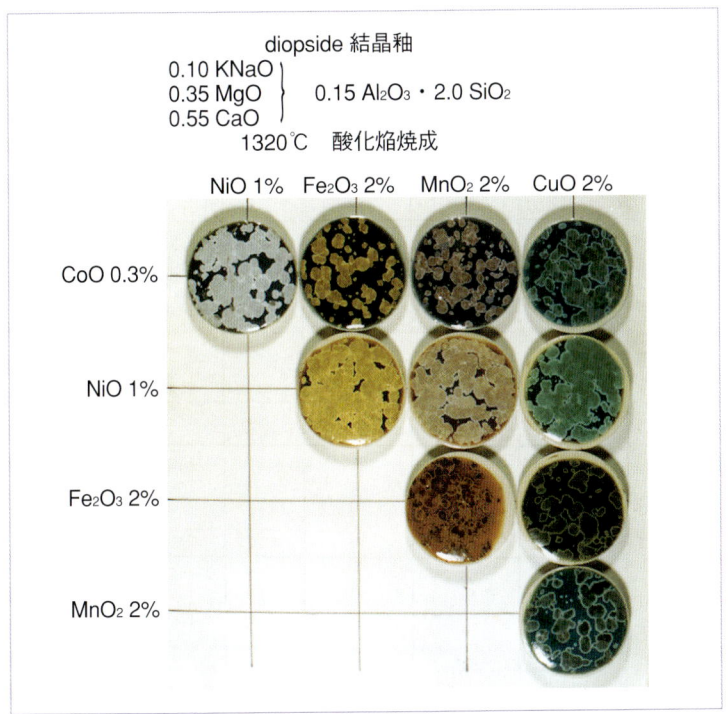

写真13　ジオプサイド結晶釉を色づけするテスト　第8章p.70参照

0.30 KNaO
0.70 CaO } $xAl_2O_3 \cdot ySiO_2$

SK10（1300℃）酸化焔焼成

	Fe_2O_3 6%	Fe_2O_3 12%	MnO_2 5%	Cr_2O_3 2%	CoO 1.5%	NiO 2%	CuO 2%

x: 0.35, y: 3.50　C領域
x: 0.65, y: 3.00　B領域
x: 0.45, y: 4.50　A領域
x: 0.35, y: 5.50　D領域

写真14　第9章p.74参照

0.30 KNaO
0.70 CaO } $xAl_2O_3 \cdot ySiO_2$　＋　TiO_2（チタニア）6%添加

SK10（1300℃）酸化焔焼成

	Fe_2O_3 6%	Fe_2O_3 10%	MnO_2 5%	Cr_2O_3 2%	CoO 1.5%	NiO 2%	CuO 2%

x: 0.35, y: 3.50　C領域
x: 0.65, y: 3.00　B領域
x: 0.45, y: 4.50　A領域
x: 0.35, y: 5.50　D領域

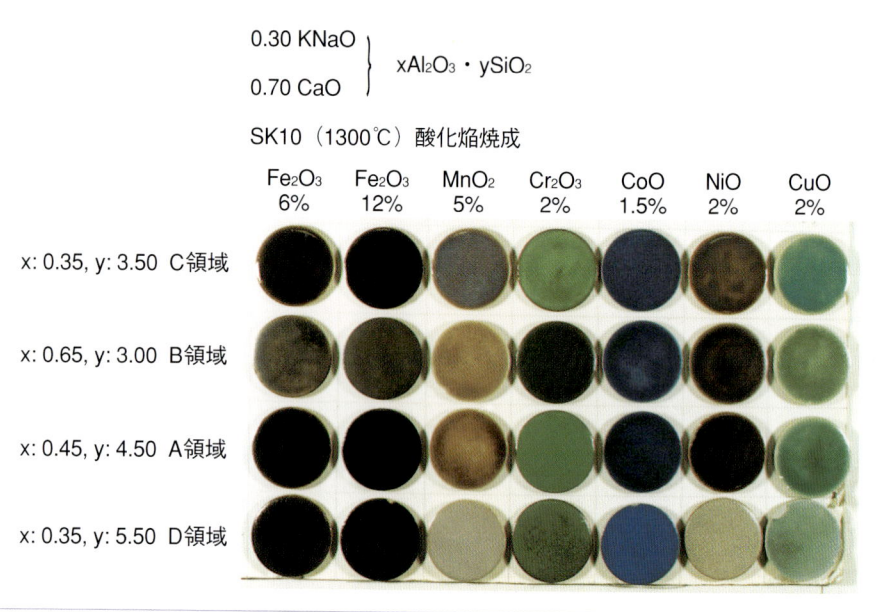

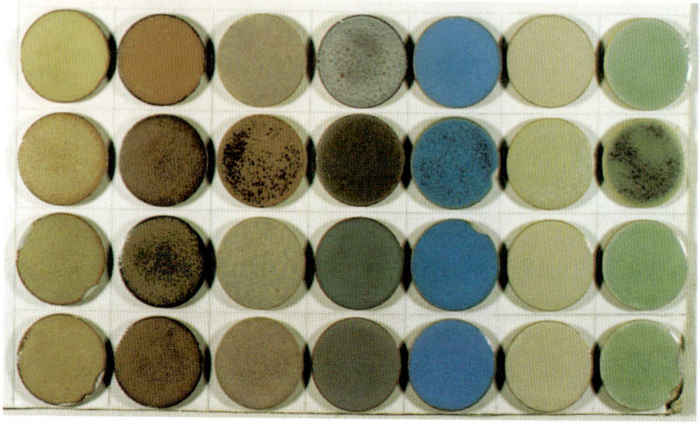

写真15　第9章p.76参照

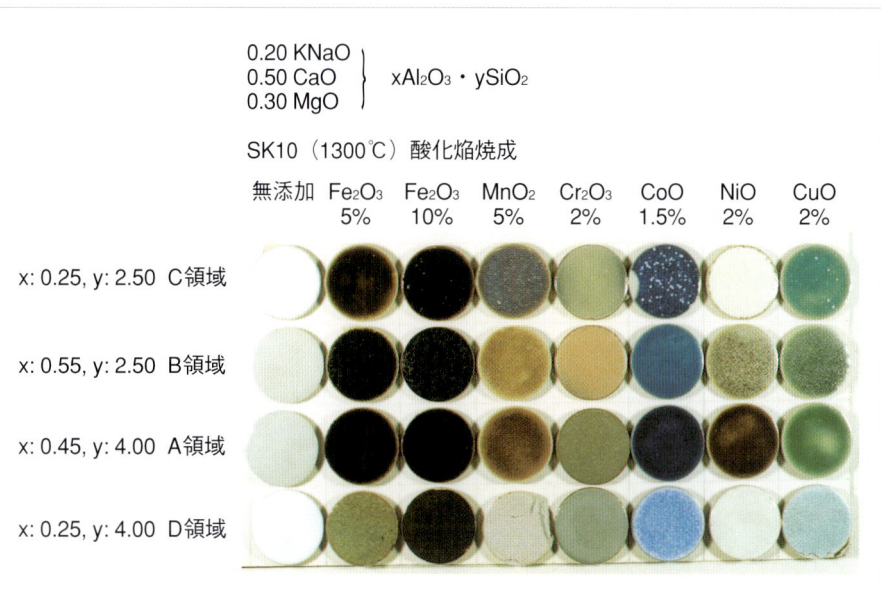

写真16　第10章p.78参照

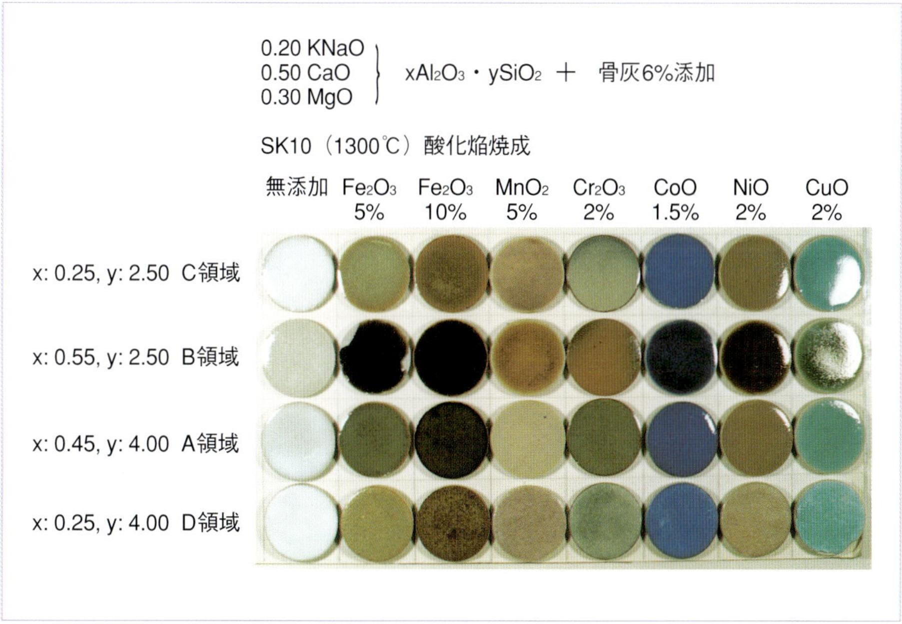

写真17　第10章p.81参照

$0.20\ KNaO$
$0.50\ CaO$ } xAl_2O_3・$ySiO_2$
$0.30\ ZnO$

SK10（1300℃）酸化焔焼成

無添加　Fe_2O_3 6%　Fe_2O_3 12%　MnO_2 5%　Cr_2O_3 1%　CoO 1.5%　NiO 2%　CuO 2%

x: 0.25, y: 2.50　C領域
x: 0.55, y: 2.50　B領域
x: 0.45, y: 4.00　A領域
x: 0.25, y: 4.00　D領域

写真18　第11章p.82～参照

$0.20\ KNaO$
$0.50\ CaO$ } xAl_2O_3・$ySiO_2$ ＋ TiO_2（チタニア）6%添加
$0.30\ ZnO$

SK10（1300℃）酸化焔焼成

無添加　Fe_2O_3 6%　Fe_2O_3 12%　MnO_2 5%　Cr_2O_3 1%　CoO 1.5%　NiO 2%　CuO 2%

x: 0.25, y: 2.50　C領域
x: 0.55, y: 2.50　B領域
x: 0.45, y: 4.00　A領域
x: 0.25, y: 4.00　D領域

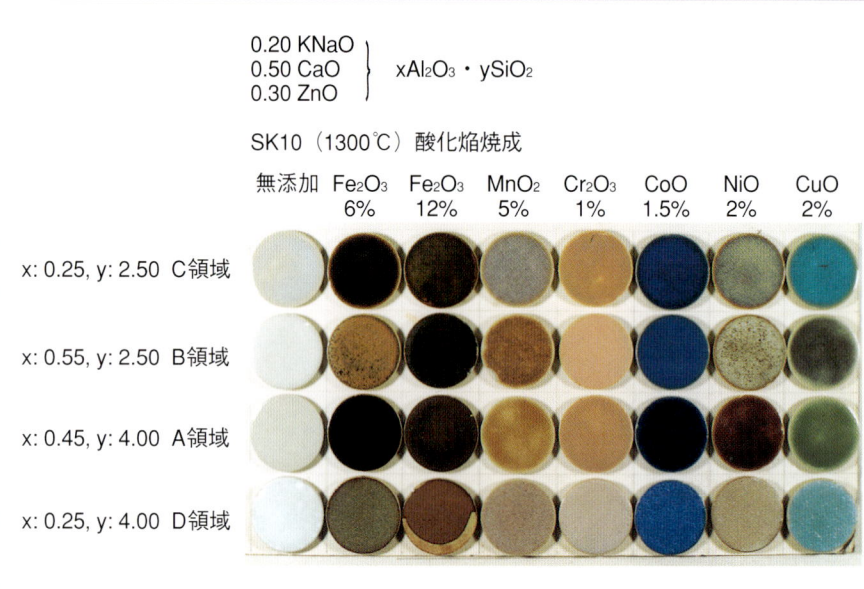

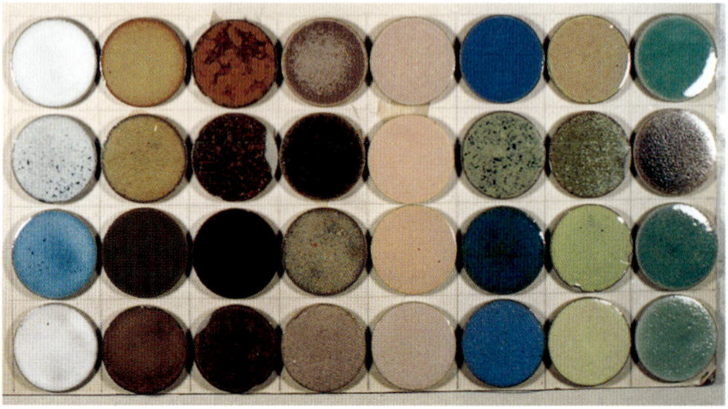

写真19　第11章p.82～参照

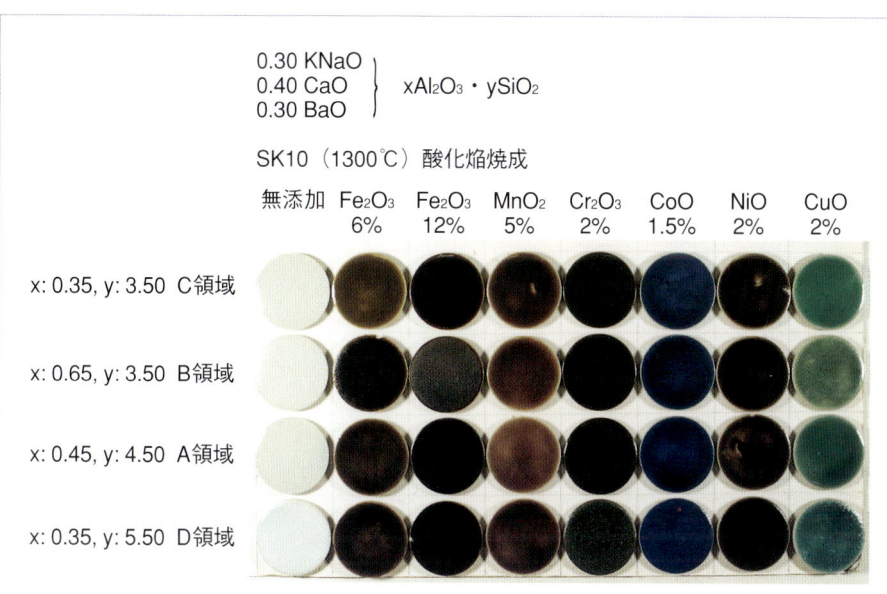

写真20　第11章p.85、第12章p.91参照

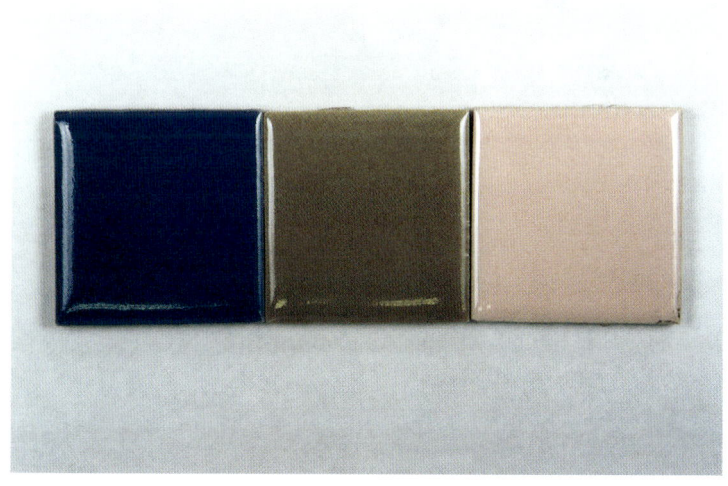

写真22　析出したガーナイトに色付けしたブリストル釉形色釉
　　　　第13章p.98参照

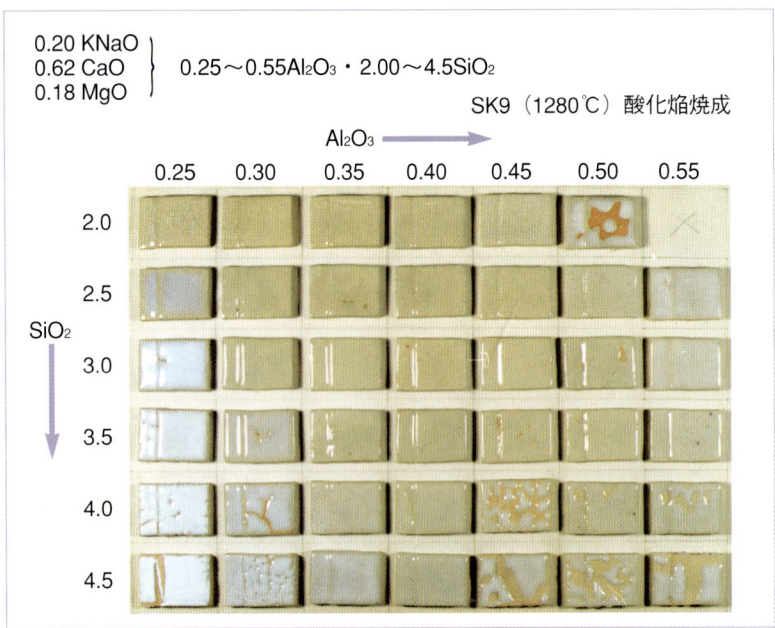

写真23a ドロマイト釉の組成変化と乳白範囲 第13章p.103参照

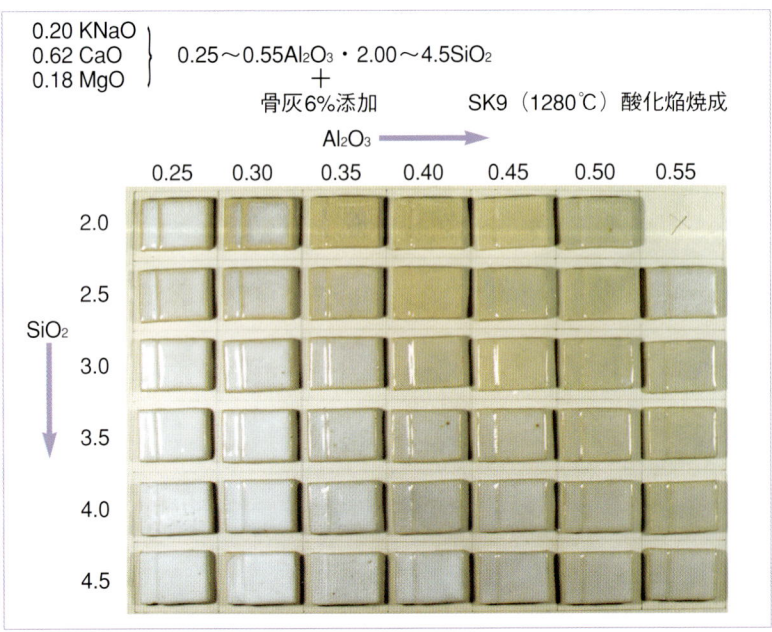

写真23b ドロマイト釉の組成変化と乳白範囲 第13章p.103参照

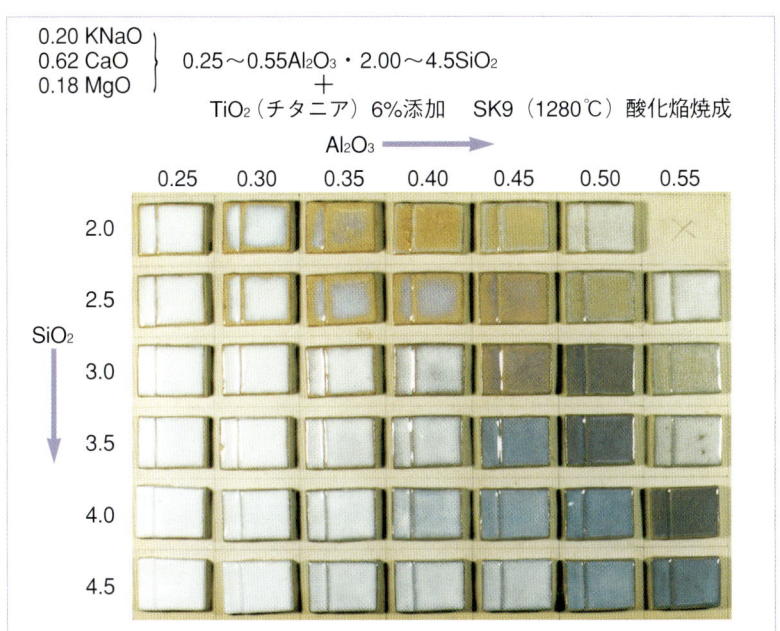

写真23c　ドロマイト釉の組成変化と乳白範囲　第13章p.104参照

石灰タルク釉　　　　石灰釉　　　　石灰・バリウム釉

写真26　織部釉のいろいろ　第14章p.107参照

　　タルク釉　　　石灰・タルク釉　　　石灰釉　　　石灰・バリウム釉
写真27　鉄釉のいろいろ　第15章p.114参照

写真28　燿変天目をめざして　第16章p.121参照

写真29　燿変天目をめざして　第16章p.122参照

写真30　燿変天目をめざして　第16章p.123参照

第15、16章口絵

　　　　セレン赤　　　　クロム黄　　　　トルコ青

写真31　軟化釉　第17章p.131参照

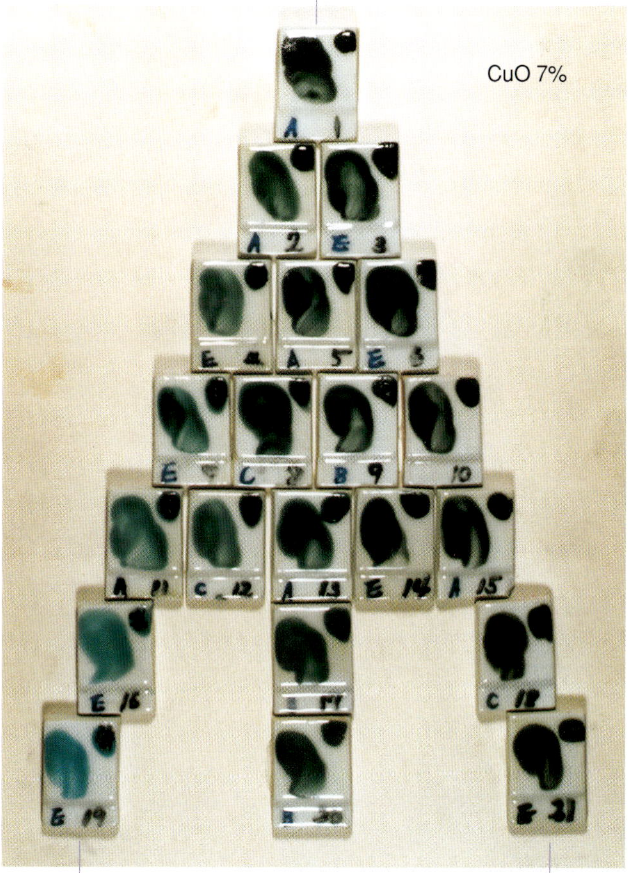

写真32a　酸化銅添加和絵の具の組成変化と色合い　第17章p.135参照

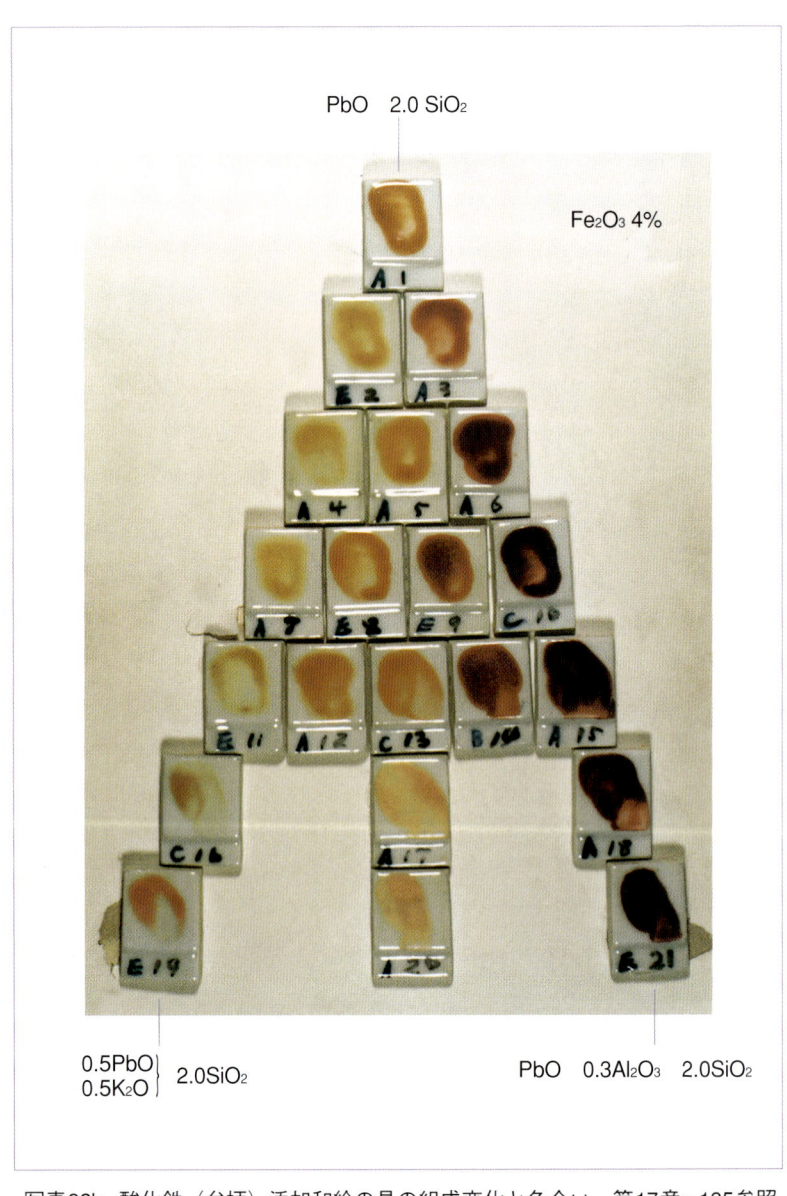

写真32b　酸化鉄（弁柄）添加和絵の具の組成変化と色合い　第17章p.135参照

写真32c 二酸化マンガン添加和絵の具の組成変化と色合い　第17章p.136参照

はじめに

　アフリカの中央東部に地殻の隆起によってできた山脈は、西からの気流を遮り、東側を乾燥地帯にした。その環境変化に適応して誕生したのが人間で、直立し、火を扱うことを悟った。このことが知能の発達に貢献し、やがて万物の霊長の地位を得たといわれる。

　火を持った人類は、北に東に移住していったが、その足跡には当然ながら生活必需品としての土器が残されている。しかし、人類が意図的に現代にも通用する民生品の焼き物を完成したのは、中国の殷の時代とされる。

　そこまで辿りつく過程には、知能に優れた人間と火の関わりの深さが秘められている。人間は、土が高温で焼かれるにつれて硬く焼け締まり、燃料としての薪の灰が表面に付着し、土の成分と反応して「釉」となることを見いだした。そのためには、灰をも熔かす高い温度が必要であった。やがて、その手法を人為的に改良・制御して、現代に通用する陶器の製法に発展させていったのである。

　時代が経って、南宋の時代、中国の景徳鎮で不純物の少ない「高嶺土」が発見され、素地を白くすることができるようになった。また、より焼け締めるために燃料を多く用いて高温焼成を志したのであるが、そのとき窯の中は還元雰囲気になって、黄白であった焼き物が青白くなり、感覚的により白くすることに成功したのである。それが「磁器」

との出会いであった。

　一方、中近東では「ガラス」の発見があって、それが釉として土器に施されたのであったが、その焼き物は、東洋とは別の発展の道筋を辿っていった。その足跡を、青釉、緑釉を施した「ペルシャ陶器」に見ることができる。それらは東洋の高い温度で素地と釉を同時に焼成する陶磁器と違い、低い温度で素地を焼き堅め、その上にガラス粉を施して二度、焼成する方法がとられた。したがって東洋の高温焼き陶磁器に対して「低温焼き陶器」といえる。

　日本では、古代の縄文式土器、弥生式土器、埴輪、須恵器などの土器があった。しかも世界でもっとも古い時代の土器が発掘されたのも、日本であると言われる。

　焼き物としての形態が整ったのは、鎌倉時代に道元禅師に伴って宋に渡った加藤四郎左右衛門景正が帰国し、瀬戸で「灰釉」を用いた陶器を作ったことに始まるとされる。しかし、東海地方の焼き物のルーツとなった猿投古窯では、さらに古い時代に施釉陶器が作られていたことを、発掘品の中に見ることができる。

　「磁器」は桃山時代に朝鮮の陶工・李参平が、有田の泉山の陶石を用いて完成したことによる。柿右衛門は、和絵の具の色材に鉄を用いて見事な「赤絵」を発見した。その和絵の具で彩画した九州の磁器は中国産を凌ぐものがあり、薩摩焼きとともにヨーロッパに多く輸出され、日本の焼き物は高い評価を得たのである。

　このように、中近東の技術と東洋の技術は、当初は別々に発展の道を進んだと思われるが、やがてシルクロードを介して融合した。その成果を「唐三彩」に見ることができる。

　融合したのは中国であったが、そこを起点にして東方の朝鮮、日本へ、また南のインドシナ、タイなどに伝播していった。

　タイにはカンボジアのクメール王国に対抗して築かれたスコタイ王国があって、その時代に中国の陶工が焼き物を作っている。それを製

造技術的に調べてみると、素地はセリサイト、長石を含む陶石単身であったと考えられ、その陶石に灰を混ぜて釉とした焼き物が、遺跡の近くのシーサッチャナライで古窯とともに発掘される。しかも、そのほとんどが磁器である。
　このように、中国の焼き物の技術が広く近隣の国々に影響を与えていったことが、如実にしのばれるのである。
　欧州の陶磁器は、中近東の手法がまず伝わった。それはイタリアで開花した「マジョリカ焼き」に見ることができよう。17世紀に中国や日本の磁器が大量に輸入され、それに憧れた磁器がドイツのマイセンで作られ、絵柄もオランダの「デルフト焼き」に見られるように、コバルトを用いた「青華（染め付け）」を模したもので、いずれも中国、日本の影響の大きいことが分かる。
　現代日本の民生用陶磁器は、このような陶磁史的背景に立脚したものであるが、今ではグローバルに融合した技術を駆使しながら、伝統的な味わいをも醸しだして消費者に感銘を与え、また、生活用品としての安全性を充分に確かめた商品を市場に出さなければならない。そのような情勢に鑑み、21世紀に通ずるクラフト、陶芸的な民生陶磁器の製作、手法の一端を、これからひも解いてみようと思う。

目 Contents 次

口絵………1
はじめに………25

第1章
紅釉（辰砂釉）、均窯釉と釉裏紅………31

第2章
青花（呉須染め付け）に代わる華やかな下絵付け………37

第3章
天目釉………42

第4章
黄瀬戸釉、伊羅保釉、鉄赤斑紋釉………47

第5章
御本手の緋色………52

第6章
亀甲貫入焼き………56

第7章
亜鉛結晶釉………61

第8章
ジオプサイド結晶釉………66

第9章
石灰釉系色釉の特徴………72

第10章
ドロマイト釉系色釉の特徴………77

第11章
石灰・亜鉛釉系色釉の特徴………82

第12章
石灰・バリウム釉系色釉の特徴………89

第13章
乳白釉のいろいろ………96

第14章
織部釉のいろいろ………106

第15章
鉄釉のいろいろ………112

第16章
燿変天目釉をめざして………118

第17章
軟火色釉………125

第18章
素地坏土および釉調整のために考えてみよう………137

第1章

紅釉(辰砂釉)、均窯釉と釉裏紅

　中国では殷の時代(BC1400年)に、すでに施釉された焼き物が完成しているが、陶磁器の始まりはもちろん「土器」であった。それは、周りにあった成形できる土を野焼きや簡単な窯で焼くだけで、燃料は枯れた草木だったことだろう。

　古代人は、火力を強めれば焼き締まって硬くなることを修得していったに違いない。そのとき、窯の中で舞い上がった灰が器物に付着して、素地の中の珪酸分やアルミナ分と反応し、表面に一種のガラスができた。それが「自然釉」と呼ばれるものである。

　昔、塩焼き瓦の釉は、焼成中に食塩を焚き口に投入して昇華させ、その Na^+ を素地中の成分と反応させてガラス化させる手法をとっていた。そのメカニズムは自然釉と同じであるが、食塩が分解して発生する塩素ガスが公害を起こすため、今ではほとんど行なわれていない。

　さて、人類はできる限り高温で焼結させて、割れ難い陶磁器の製造方法を模索していった。そのために、窯内に多くの薪などを投入すれば、酸素不足になって「還元雰囲気」となる。そのとき、高級品を目指して不純物の少ない原料を用いれば、たとえわずかの鉄分が混在していても、それは還元されて淡く青白く、感覚的に白い焼き物を得ることができるのである。それが「磁器」の発見であった。

　中国では、南宋の時代に景徳鎮で「高嶺土(カオリン)」が発見さ

れて始めて磁器ができたが、彩画によく合った加飾法がコバルトを用いた藍色の「青花（染め付け）」である。

しかし歴史上では、鉄器時代以前に銅器時代があって、焼き物を彩色するに「銅」を用いることも、陶磁器にとって「鉄」とともにもっとも古い加飾材料の一つであった。

酸化コバルトと酸化銅の粉末は、どちらも黒あるいは鼠色であって、よく似ている。前者は、酸化焔でも還元焔でも「青」か「藍」であまり違わないが、後者を発色材として使った場合は、時としてまったく異なった色合いを呈する。

大別すれば、酸化焔焼成で「青」から「緑」の色合いを呈し、強い還元焔で焼けば「赤」になる。中途半端な焼き方（若干還元気味であるが中性的な焼き方）では「無色」であるが、薄い黒味の汚い斑痕を残すことが多い。つまり、陶磁器釉のようなガラス構造中にCu^{2+}として存在しているときは青から緑の呈色を示し、Cu^+では理論的には無色、赤く発色するのは$Cu^±$としてコロイド状に分散しているときである。

銅を赤く発色させた焼き物として、中国の「紅釉（辰砂釉）」と「釉裏紅」がある。その赤色を美麗に発現させるための「釉組成の選択」と「焼き方」には、並々ならぬ苦心の跡がしのばれる。**写真1**（p.4口絵参照）は中国の西安で手に入れた、紅釉を施した高さ20cm程の磁器花瓶だが、血のような赤は見事である。では、これがどのようにして作られたかを推定してみよう。

昔から中国では磁器の釉を作るのに「釉灰」と呼ばれるものを用いている。それは主に、釉に必要なカルシウム（Ca^{2+}）を供給するためのものであるが、釉灰は、カルシウム分の供給といっても、その作り方から単なる石灰石を用いるのとでは焼成時の熱反応プロセスに微妙な違いがある。さらに、草木の灰からK^+やP^{5+}等の他の成分が導入され、独特な媒熔助材に仕上げたものが釉灰と呼ばれるものであって、

それらの特徴が中国で重宝に用いられたゆえんである。
　では、その釉灰の作り方を述べてみよう、まず石灰石を焼いて「生石灰」にし、水を加えて「消石灰」にする。羊歯類の枯れ葉を下に敷き、その上に先の消石灰を積む。サンドウィッチ状に何層にも積み重ね、上から水を注ぎながら燃焼すると、灰の混ざった石灰となる。貯蔵には水を張った桶の中に焼き上がった釉灰を入れて攪拌し、沈澱させ、使途に応じて上層、中層、下層に分けて使用する。
　釉灰は、原料の石灰石がいったん消石灰にされてから焼かれる。そして燃焼ガスのCO_2と反応して再び炭酸カルシウム（石灰石）になるのであるが、この時点ですでに元の石灰石とは違い、粒子が非常に細かく、また熱反応しやすい状態になっている。また、生石灰（CaO）として残っているカルシウム分もあるが、それは桶の中の水と反応して消石灰（Ca(OH)$_2$）になる。
　また、草木の灰にはカルシウム分のほか、カリ分や燐酸分も豊富に含まれている。そのため、釉灰は誠に複雑であるが、妙味のある原料に仕上がっているのである。特にK^+は釉灰の特徴を醸しだす有力な成分といえる。
　実際には「瓷石（陶石）」に釉灰を多量に混ぜると（ほぼ半々ぐらいであろうか）、光沢と透明性豊かな磁器釉ができる。それを「石灰・灰釉」と呼んだらよいだろうか。
　このようにして作られる中国の石灰釉には、中国民族の気質がよく表れていて、漢方薬的な考えが秘められているように感じる。日本で用いられる灰釉はただの灰――つまり「土灰」などだけであるが、それが中国技術の伝承として伝統陶芸のなかに広く伝わっている。けれども釉灰の心髄を知り尽くしているとは思えない。それを極めてこそ、東洋の灰釉や石灰釉の良さを認識し、製品に表現できるのである。
　紅釉のように釉中で銅を赤く発色させるには、酸化銅をごくわずか（1％程度でよい）加えて還元焔で焼成すればよい。釉灰を用いずに、

現在入手が容易な原料で**写真1**（p.4口絵参照）に示した紅釉に比較的近いものを作るとすれば、塩基性の高い石灰釉を用いればよいだろう。またCa^{2+}をBa^{2+}に置換してもよい。しかし、亜鉛（Zn^{2+}）やマグネシウム（Mg^{2+}）では海鼠釉調の、いわゆる「均窯風」にはなるが、血のような赤は得られ難い。

「釉裏紅」は銅化合物で、コバルト化合物を用いた青花と同じように、磁器の下絵手法として彩画したものである。釉裏紅を成功させる基本は、紅釉と同じような釉を用いることである。一般に、釉裏紅には反応の容易な「炭酸銅（$CuCO_3$）」を用いるとよいと言われているが、「酸化銅」でもかまわない。つまり、CuO（Cu^{2+}）を、釉が融け始める温度以前で還元雰囲気にして、金属状の銅に近い状態までにしておく。そのまま温度を上昇させていくと釉は融液化し、先に金属に近いまで還元されて赤いコロイド状となった銅が釉中に懸濁し、血のような赤色を呈示するのである。

焼成を止めた後の窯内は酸化雰囲気になるが、よく融けた釉は釉中あるいは釉下に存在する赤くなった微細の銅には影響しないので、窯から常温に戻した後でも、そのままの色合いを見ることができる。次章の**写真2、3**（p.4口絵参照）の、花の部分の赤い色付けが釉裏紅である。

先に、紅釉では亜鉛やマグネシウムを混ぜた釉は成功しないと述べた。けれども、同じ釉系で、「赤」や「青」の、まだらな海鼠調の表現を醸しだす「均窯釉」を作るには適するのである。焼成は紅釉や釉裏紅を成功させる方法とまったく同じでよい。

写真1の紅釉の正確な配合は分からないが、かつて中国の景徳鎮を訪れたとき、釉灰は水槽で沈澱している中層部分を用いると良い結果が得られると聞いた。しかしはたして、釉灰を使わなければ見事な紅釉はできないのだろうか。カルシウム分を石灰石でまかなうことは絶対にできないのか。これはぜひ検討してみたいことである。したがって著者が実験した中から、釉中の銅を赤く発色させたいときに比較的

成功する配合例を、いくつか示しておこう。

付表1（p.1〜3参照）に、本書で用いた原料の素性を一括して示す。陶磁器用原料は天然鉱物資源を用いるので、原料組成の変動には細心の注意を払わなければならない。そのためには配合する前に、化学分析値などその素性を明確にすることが必須である。したがって、ここでも原料銘柄とその分析値を明らかにし、綿密な配合計算をして取り扱った。その手法は19章に詳しく述べることにする。以下の章についても、その主旨を守って記述したが、これをもって本書の特長としたい。

表1に著者の成功した銅辰砂釉の配合を示す。a) は石灰バリウム釉であり、b) は石灰釉である。このように1桁目のアルカリ、アルカリ土類成分の合計1モルに対してAl_2O_3は0.30〜0.35モル、SiO_2は3.00〜3.50モル、と比較的少ないが、これが釉の塩基性を強くして銅辰砂釉を成功させる条件となる。

表1　銅辰砂釉の組成と配合

a)

0.20 KNaO		福島長石	34.91%
0.50 CaO	0.30 Al_2O_3・3.00 SiO_2	福島珪石	26.53%
0.30 BaO		朝鮮カオリン	6.51%
		鼠石灰石	14.82%
		炭酸バリウム	17.23%
		酸化銅　外割り	1%
		（SK10 RF:1300℃還元焔焼成）	

b)

0.20 KNaO		福島長石	34.02%
	0.35 Al_2O_3・3.50 SiO_2	福島珪石	32.64%
0.80 CaO		朝鮮カオリン	10.23%
		鼠石灰石	23.11%
		酸化銅　外割り	1%
		（SK10 RF:1300℃還元焔焼成）	

また、ちなみに釉裏紅の基礎釉を表2に、均窯釉も表3に示す。釉裏紅の基礎釉は普通の石灰釉であり、均窯釉は塩基性石灰亜鉛釉である。このときZn^{2+}の導入は釉を乳白しやすく、また酸化錫や骨灰を添加すれば乳白現象を助長し、均窯釉独特の海鼠調、斑模様の釉調となるのである。

　紅釉、釉裏紅、均窯釉はいずれも、焼成の仕方が成功・失敗の岐路になると言って過言ではない。著者は、プロパンガスを燃料にした内容積1m²の窯を用いて焼いたのであるが、俗に言う「あぶり」はゆっくりと、900℃で還元に入り、雰囲気は一酸化炭素ガス濃度を6%として焼成終了まで続けた結果、成功した。

表2　釉裏紅基礎釉

0.30 KNaO		福島長石	41.98%
	0.50 Al₂O₃・4.50 SiO₂	福島珪石	30.35%
0.70 CaO		朝鮮カオリン	11.03%
		鼠石灰石	16.64%

（SK10 RF:1300℃還元焔焼成）

表3　均窯釉

0.20 KNaO		福島長石	39.33%
0.65 CaO	0.25 Al₂O₃・3.00 SiO₂	福島珪石	32.10%
0.15 ZnO		朝鮮カオリン	2.85%
+CuO 1.5%、SnO₂ 3%、骨灰 2%		鼠石灰石	21.72%
		亜鉛華	4.00%
		酸化銅　外割り	1.5%
		酸化錫　外割り	3.0%
		骨灰　外割り	2.0%

（SK10 RF:1300℃還元焔焼成）

第2章
青花（呉須染め付け）に代わる華やかな下絵付け

　紅釉、均窯釉と釉裏紅の話に続き、ここではカラフルな「下絵付け」による加飾法を探ってみよう。

　瓷器（磁器）の下絵付けといえば、中国の「青花」（日本では染め付け）である。青花とは、南宋時代にコバルトや鉄、マンガンを含む天然の黒い土を顔料に用いて彩画する手法をいい、また西方からもたらされたコバルトを用いたともいわれる。その藍色は青磁調の白い磁器に、よく適合した。以来、磁器の彩画として青花（染め付け）は親しまれ、現在も、その地位は不動である。

　しかし、高温度の、しかも還元焔焼成で焼く磁器に、鮮やかでカラフルな彩画は大変困難なことであった。そこで、後の明の時代になって、いったん焼き上がった磁器の釉上に、低温度で融ける「フラックス（一種のガラス）」に銅や鉄、マンガン、コバルト等を発色元素として融解させ、厚盛りでも透光性と光沢のよい、色彩豊かな「五彩」と呼ばれる低火度焼き付けの上絵の具を発見したのである。

　日本では「九谷焼き」の和絵の具が、その流れを汲んだ代表的なものであろう。有田の「柿右衛門赤」も和絵の具として完成した一つの加飾技法であった。

　西洋では、東洋と違い、フラックスに有色の合成無機結晶鉱物（顔料）を混合した低火度の上絵付け絵の具を、カラフルな彩色に用いた。

それは顔料をフラックスに侵触されないように懸濁させたものであって、色数は多く綺麗であるが不透明で、しかも光沢は乏しい。それを「洋絵の具」と呼んでいる。

和絵の具も洋絵の具も、化学的耐久性が悪いという致命的な欠点がある。フラックスや顔料から、その成分である鉛やカドミウムが食用酸で陶磁器飲食器から容易に溶出されて人体に害をおよぼすことが、大きな問題となっている。そこで考えられたのが、公害の無い、下絵付けのカラフルな加飾法であった。

写真2と**写真3**（p.4口絵参照）は、著者の試作品磁器である。銅で「赤」や「紅」を、クロームで「緑」を担当させ、下絵付けで薔薇、さつきを描いてみた。しかし、ただ銅やクロームを顔料とすればよいかといえば、そう簡単なものではない。顔料の作り方と施す釉の組成および焼成条件が大変、難しい。

では、顔料の作り方から説明してみよう。赤い色は「釉裏紅」であって、単味の酸化銅（CuO）を、緑は、単味の酸化クローム（Cr_2O_3）である。

銅は酸化焔で焼いた場合、軟化釉の「トルコ青釉」や高火度釉の「織部釉」などに見られるように、アルカリ性の強い釉では青に（トルコ青）、酸性釉では緑（織部）に発色する。それに対して「釉裏紅」は、還元焔で焼き施釉した白い磁器に、銅を下絵の具として用いたものである。色の濃さと色合いを調節するために、ともに施す釉を適度に配合するとよい。

釉裏紅のように銅を赤に発色させるには、還元焔で焼成しなければならない。磁器を焼くとき、焼成は、酸化性の「あぶり」から還元性の「せめ」、そして焼成終了後は酸化性になるが、その間、銅は次のように変化していく。

酸化銅：CuO（Cu²⁺）→ 2,3酸化銅：Cu₂O₃（Cu⁺）→ Cu±（金属）

　焼成中の変化を観察することはできないが、「あぶり」のときは二価の酸化銅粒子として分散していると思われ、黒い色をしていることであろう。「せめ」に入って漸次温度が上昇するにつれ、釉は融液化し、銅もその中に融けこんでいく。そのとき、弱い還元性であれば、一価イオンで発色しないが、焼成時に一価に凍結しておくことは非常に難しく、色が無いような薄黒い汚れた痕が残る。
　赤く発色させるには「せめ」を若干強くして、金属銅まで還元しなくてはならず、しかもコロイド状程度に粒子が細かくなくてはならない。さいわい、銅は高温で拡散しやすいため、イオン状やコロイド状にするのは、比較的、容易である。
　釉裏紅は、そのようなメカニズムの進行が間違いなく行なわれるように、絵の具の配合や施す釉の組成、さらに焼成条件を整えてかからないと成功しない。
　還元焔での「緑」はクロームを用いればよい。この場合も施す釉と焼成は釉裏紅と同じである。クロームは重クローム酸カリ（K₂Cr₂O₇）やクローム酸バリウム（BaCrO₄）に見られるように、六価である場合は橙から黄である。三価のクローム（Cr³⁺）の場合、亜鉛スピネル（Gahnite：ZnO・Al₂O₃）等に少量、固溶している時はルビー（Al₂O₃）と同じようにピンク色になる。しかし通常は、酸化クローム（Cr₂O₃）のように緑である。写真の葉の色はその緑を利用したものだが、これにはクロームが三価である必要があるため、還元焔焼成が都合よい。このとき、施す釉の組成が大切で、亜鉛やマグネシウムの含有は望ましくない。
　以上の理由から、釉裏紅とクローム緑は、その特徴を発揮する条件が一致するのである。では、実施例を述べよう。
　素地は、かつて陶磁器試験所で用いた天草陶石50％、福島長石18％、

朝鮮カオリン12%、本山木節20%で配合された磁器素地で、ゼーゲル式では 0.2KNaO・Al$_2$O$_3$・5.0SiO$_2$である。日本では最近、白く焼ける品質の良い粘土が枯渇してきた。若干白さは劣るが、手近にある原料を使うとすれば、三河砂婆32.74%、陣屋蛙目51.60%、陣屋珪石15.66%でもよい。ゼーゲル式は同じである。釉に用いた原料の素性は**付表1**(p.1〜3) を参照されたい。

釉裏紅による赤も、酸化クロームによる緑も、施す釉に発色が大きく影響されるので、釉の選択は特に大切である。前章で述べたように、中国で釉裏紅を発見・成功させたのは、釉組成に「釉灰」を用いたためであるから、現代手法で釉系を選ぶとすれば、基本的には塩基性の高い「石灰釉」であろう。Ca^{2+}をBa^{2+}に一部置換した「石灰・バリウム釉」でもよい。それも釉に貫入が入らない程度の弱めの組成がよいだろう。

例を**表4**に示しておく。「タルク釉」や「ドロマイト釉」、「亜鉛釉」、は釉裏紅およびクローム緑とともに綺麗に発色させるのは難しいので避けた方がよい。

表4 釉裏紅とクローム緑下絵に用いる釉

a) 石灰釉

0.3 KNaO
0.7 CaO } 0.5 Al$_2$O$_3$・4.5 SiO$_2$

水洗砂婆 52.78%　鼠石灰石 16.48%　陣屋蛙目 12.84%　陣屋珪砂 17.90%

b) 石灰・バリウム釉

0.3 KNaO
0.5 CaO
0.2 BaO } 0.5 Al$_2$O$_3$・4.5 SiO$_2$

水洗砂婆 50.55%　鼠石灰石 11.27%　炭酸バリウム 8.73%
陣屋蛙目 12.30%　陣屋珪砂 17.15%

図1に写真の花の部分と葉の部分の可視分光反射率曲線を、表5に、それらの色表示を示しておく。

　なお、還元焼成でも美麗に発色させることができる顔料に、陶試エ（Mn・Al・P）やプラセオジム黄（Pr・Zr・Si）もある。もちろん、コバルト青（Co・Al）、鉄褐（Fe・Al・Si）も使用できる。

　このような手法を上手に使えば、上絵付けのような絢爛豪華な加飾は無理としても、公害問題に悩む打開法として考えてみる価値はある。焼成は、やや強めの還元焔でSK10 RF（1300℃）程度がよい。その条件も、窯の癖や釉の融液化過程とうまく噛み合わなくてはならないので、技術的な難しさは避けられない。要は、再現性のよい条件を確立し、自身の肌に会得させることである。

図1　花部分と葉部分の可視分光反射率曲線

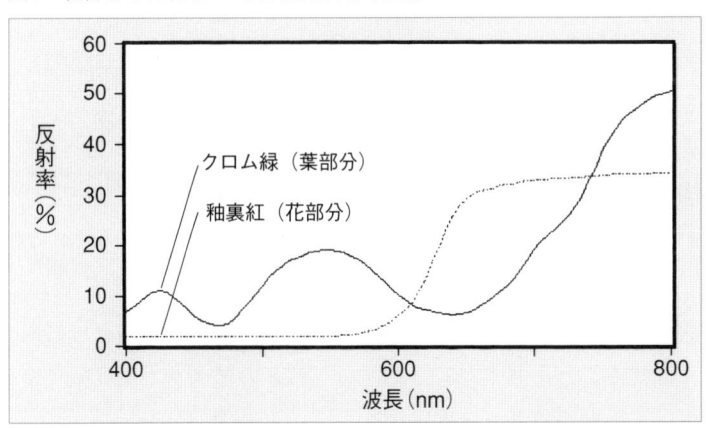

表5　花部分と葉部分の色表示

	X	Y	Z	主波長 (λDnm)	純度 (Pe%)	マンセル表示	L	a	b
花部分	9.30	6.20	3.57	610.0	49.9	6.8R 2.92／6.7	24.90	23.02	8.93
葉部分	7.80	9.86	6.29	558.5	29.9	7.6GY3.65／3.7	31.40	−10.61	10.11

第3章
天目釉

　中国・南宋時代の健窯で、腰がすぼみ、口辺がひねり返された独特の形の素地に、黒褐色の鉄釉を施した茶碗が作られ、それを日本では「天目茶碗」と呼んだ。その名の由来は、鎌倉時代に中国浙江省天目山の禅寺から僧が持ち帰ったことにある。天目茶碗と呼ばれるそれらには、燿変天目、油滴天目、禾目天目なども含まれる。

　天目茶碗を作る技術は、遣唐使によって渡来した仏教に付随して伝授されたものであるが、室町時代の末期には、燿変天目を除いた模造品天目茶碗が、瀬戸で数多く作られている。

　当世で天目釉と通常呼ばれるものは、光沢のある黒褐色あるいは漆黒の「鉄釉」をいうのであるが、それらが中国でどのようにして作られていたか、探求してみるのも興がわく。

　高火度釉のルーツは灰釉であるから、多分、瓷石（陶石）に灰を多量に混ぜることを基本としたのだろう。そのとき黄土や弁柄等を併用して、天目釉ができたと推察する。

　天目釉もその組成によって、さまざまな表情を現すが、成分としてアルカリ（K_2O, Na_2O）やアルカリ土類（MgO, CaO）が多いときは鉄の発色を淡い傾向に導き、Al_2O_3やSiO_2が多くなるにつれて濃くなる。

　また、アルカリ土類としてCa^{2+}のみを用いたものは「石灰天目釉」

といって赤味の黒褐色となり、Mg^{2+}を併用した「石灰・マグネシア天目釉」は漆黒調になる。反対にBa^{2+}を用いた「石灰バリウム天目釉」は飴釉のように明るくなる。別の言い方をすれば、塩基性の強い釉で黒褐色、酸性の強い釉で漆黒調になるわけである。

　また、酸化焔焼成と還元焔焼成でも色合いは大きく変化する。そのような釉調や色の変化は鉄分の状態変化によるのであって、それを左右する因子は$Fe^{2+} \rightleftarrows Fe^{3+}$の平行関係である。$Fe^{2+}$の多いときは黒味で$Fe^{3+}$の多いときは赤味から橙味になる。

　普通、陶磁器の焼成において酸化焔焼成のときは、当然Fe^{3+}が多い。だからといって全部Fe^{3+}にしてしまうのは大変難しい。また、その割合は釉の組成によって、その都度違ってくる。この、天目釉として用いる釉系や組成の違いが、色合いに多大な影響を及ぼす原因である。還元焔焼成のときは当然ながら、Fe^{2+}の割合が多くなり、黒味が強調されることになる。

　石灰マグネシウム釉で、アルミナ分と珪酸分の多いいわゆる酸性度の高い天目釉を還元焔で焼成すると、$Fe^{3+} \rightarrow Fe^{2+}$となり酸素を放出する。油滴天目釉になるような釉組成では焼成時の粘稠度が高いため、発生したガスが飛散しきれず、それが泡跡（ピット）として残り、柚子肌の釉面になる。ピットが消滅しないように焼成条件を整えると、そこに四酸化鉄（Fe_3O_4）のようなものが皮膜として集まり、油滴天目の調子を得ることができる。酸化焔焼成でも、高温度焼成では鉄を還元性に導いて酸素を放出させるので、油滴天目釉を作ることができる。

　写真を2点（p.5口絵参照）示すが、これらを作ったとき用いた素地の配合は、瀬戸の大学粘土40%、枝下木節30%、釜戸長石10%、シャモット20%、それに弁柄 1%を加えたものである。ゼーゲル式は0.03KNaO·Al_2O_3·2.34 SiO_2で、かつて、国立陶磁器試験所が陶器用に開発した坏土である。

ここで用いた原料の化学分析値と、その推定される構成鉱物組成も前章と同じように**付表1**（p.1〜3参照）を参照されたい。以後の章についても同様である。

写真4（p.5口絵参照）は、普通の天目釉を施した花瓶である。その基礎釉は石灰・マグネシア釉で弁柄を外割りに10％添加して、SK10 OF（1300℃酸化焔）で焼成した。釉のゼーゲル式と、その配合を**表6**に示す。

表6　普通の天目釉

0.30 KNaO		大平長石	49.38%
0.20 MgO	0.45 Al$_2$O$_3$・4.00 SiO$_2$	大分ドロマイト	13.57%
0.50 CaO		鼠石灰石	4.22%
		陣屋蛙目	9.70%
		韓国珪石	23.12%
		弁柄　外割り	10%

SK 10 OF（1300℃酸化焔焼成）

油滴天目茶碗を作ってみたが、それが**写真5**（p.5口絵参照）である。油滴天目釉は石灰・マグネシア釉がよい。けれども普通の天目釉よりKNaO：MgO：CaOのモル比率を0.50KNaOと大きくし、さらにAl$_2$O$_3$およびSiO$_2$も多くすると、釉の高温時の粘稠度が高くなって油滴外観のもととなるピットができやすくなる。

また焼成は、還元焔で焼くと油滴天目釉になりやすい。つまり、還元焔で焼くことによって、加えた弁柄（Fe$_2$O$_3$）の多くがFe^{3+}からFe^{2+}になり、酸素（O$_2$）を放出する度合いが高くなるというものである。

ピットにできた皮膜は銀光りして、油滴天目の外観が得られやすくなる理屈は先に述べたとおりである。ゼーゲル式と、その配合を**表7**に示しておく。

表7 油滴天目釉

0.50 KNaO		大平長石	68.92%
0.30 MgO	0.55 Al₂O₃・5.50 SiO₂	桃色タルク	7.86%
0.20 CaO		鼠石灰石	4.36%
		陣屋蛙目	0.52%
		韓国珪石	18.34%
		弁柄　外割り	10%

SK 10 RF（1300℃還元焔焼成）

表8 艶消し天目釉

0.30KNaO		大平長石	54.39%
	0.70 Al₂O₃・3.00 SiO₂	鼠石灰石	20.05%
0.70CaO		陣屋蛙目	23.53%
		韓国珪石	2.03%
		弁柄　外割り	10%

SK 10 OF（1300℃酸化焔焼成）

　鉄天目釉系の茶碗には、この節の冒頭に述べたように多種多様な外観の釉が作られ、それぞれ名称が付けられている。それを網羅するのは大変なことであって言い尽くせるものではないが、天目釉の釉調変化を思考するために、微細な表面結晶を析出させて「艶消し天目釉」にしたり、少し結晶を大きくし、「蕎麦天目釉調」にして出来上がりを楽しむのも面白いと思う。

　高火度釉で艶消し釉調（マット釉：Matt glaze）の天目釉を作るには、石灰釉系で比較的Al_2O_3が多く、SiO_2の少ない領域がよい。それを表8に示す。弁柄の添加量は外割り10%程度がよいだろう。

　マット調を醸しだすのは、アノーサイト（Anorthite：$CaO・Al_2O_3・SiO_2$）の微細な偏平結晶が表面に析出したためで、光の表面散乱がマット感を与えているのである。このとき0.7CaOのいくぶんかをMgOに置換すると黒さが深くなり、BaOに置換すれば褐味の明るく感ずる

釉調にすることができる。

表9に示した組成は石灰・マグネシア釉系で、釉組成にMgOを導入してアノーサイトとジオプサイド（Diopside）が共存析出する蕎麦調の釉を狙ったものである。このときマット調の場合よりAl_2O_3を少なくすると、ジオプサイドの析出が容易になり、かつ大きくなる。蕎麦調にするに適当なAl_2O_3のモル比は**表9**のように$0.40Al_2O_3$程度であろう。

陶磁器を作るときには、焼成プロセスを充分に吟味してかからないと、思惑はずれの製品になってしまうことが多い。特に鉄釉は注意が肝要である。つまり、自分の目的に叶うような焼成温度や雰囲気、およびその焼成プロセスで、焼き手の肌が感じとっている好ましい条件を正確に再現できるよう、態勢を整えておかなければならない。

表9　蕎麦調天目釉

0.30KNaO		大平長石	66.20%
0.50CaO	$0.40\ Al_2O_3 \cdot 2.50\ SiO_2$	大分ドロマイト	18.19%
0.20MgO		鼠石灰石	5.43%
		陣屋蛙目	7.79%
		韓国珪石	2.38%
		弁柄　外割り	10%

SK 10 OF（1300℃酸化焔焼成）

第4章
黄瀬戸釉、伊羅保釉、鉄赤斑紋釉

　釉に「鉄」を加えて発色させることは、陶磁器、装飾技術の原点である。日本では天目釉の他、飴釉、黄瀬戸釉、伊羅保釉、瀬戸黒釉（引き出し黒）など、多くの伝統的な釉が生まれ、親しまれてきた。

　これらの釉の、鉄による発色は、その含有量はもちろんのこと、釉の組成と、その組織・構造に大きな関わりがあり、また焼成雰囲気の影響も大きい。一般に、塩基性の高い透明領域の石灰釉に鉄分が少量含まれていると、酸化焔焼成で黄瀬戸釉になり、還元焔で焼けば青磁釉になる。そのルーツは、やはり灰釉であった。

　そこで、話を少し横にそらせて、古代、「灰」がどのような着想によって、釉として使われるようになったか探ってみよう。

　タイ国のスコータイ遺跡の近辺、シーサッチャナライには古代の窯跡が点在しているが、それは、13世紀に中国の陶工が仕事をした痕跡といわれている。ここでは、今でも古陶磁器の破片が見つかるので、著者は、いくつかの「青磁」と「鉄釉」の施された破片を拾ってきて調べてみた。

　青磁釉の施された破片の、素地と釉の化学分析値を**表10**（次頁）に、また、それにもとづいて推定した材料の鉱物構成を**表11**（次頁）に示す。このように、素地は「陶石単味」であったと思われ、釉は、その陶石に灰を多量に加えたものと考えられる。

表10　スコータイの古陶磁器破片の化学分析値（13世紀代といわれる）

	SiO₂	Al₂O₃	Fe₂O₃	TiO₂	CaO	MgO	Na₂O	K₂O	Others	Ig.loss	Total
素地	74.16	19.49	1.13	0.44	0.56	0.30	1.97	1.95	－	－	100.00
釉	57.17	13.84	0.99	0.07	19.66	2.43	1.45	2.41	1.98	－	100.00

表11　推定される鉱物組成

	セリサイト	長石	石灰石	ドロマイト	粘土	珪石	その他
素地	36.41%	2.72%	－	－	11.02%	48.29%	1.56%
釉	29.96%	2.24%	24.78%	9.48%	－	33.85%	－

（ゼーゲル式）

素地　0.27 KNaO
　　　0.04 MgO　　　1.00 Al₂O₃・6.47 SiO₂
　　　0.05 CaO

釉　　0.11 KNaO
　　　0.13 MgO　　　0.30 Al₂O₃・2.07 SiO₂
　　　0.76 CaO

表12　用いたと思われる原料の化学分析値

	SiO₂	P₂O₅	Al₂O₃	Fe₂O₃	CaO	MgO	K₂O	Na₂O	Ig.loss	Total
陶石	75.35	－	16.60	0.57	0.05	0.39	2.97	0.36	3.58	99.87
土灰	14.08	2.14	3.69	1.94	35.90	5.44	1.49	0.55	34.32	99.55

　釉の分析値の内、定性分析で「燐酸」が確認された。1.98の中にはP₂O₅が含まれていることになり、それが灰を用いた有力な証拠となる。タイ国の北部、特にランパン付近には可塑性の豊かな陶石があるので、経験的にそのようなものを用いたのであろう。

　表12に、タイ国の陶石と、一般的な土灰の化学分析値を示したが、それを用いて再現を試みてみた。素地は陶石単味、釉は陶石60%、灰40%にしてみたが、**表13**に示すような鉱物構成とゼーゲル式になる。

表13 再現を試みる場合の素地と釉の鉱物組成とゼーゲル式

素地：陶石単味　　釉：陶石60％＋灰40％

	セリサイト	ドロマイト	石灰石	粘土	珪石	その他
素地	29.87%	–	–	13.18%	56.04%	0.81%
釉	26.36%	11.28%	20.15%	3.99%	38.21%	0.01%

素地　0.23 KNaO ⎫
　　　0.06 MgO ⎬　1.00 Al_2O_3 ・ 7.70 SiO_2
　　　0.01 CaO ⎭

釉　　0.09 KNaO ⎫
　　　0.17 MgO ⎬　0.32 Al_2O_3 ・ 2.43 SiO_2
　　　0.74 CaO ⎭

　これは、古陶磁器破片とかなりの一致性があり、推定の信憑性は高い。破片は青磁調であったから、還元焔で焼成したのであろう。酸化焔で焼かれた飴釉調のものもあった。

　日本でも、釉のルーツは灰釉であった。ところが、施釉陶器の発祥地である瀬戸付近には陶石は無かったので、石粉（砂婆）に灰を混ぜて作ったことと思われる。当地方の「猿投古窯」からは、自然に灰がかかった釉や、作為的に灰釉を作って、それを施した器物が発掘されるので、日本でも灰が釉の発見の発端であったことが裏づけされる。

　さて、ここでは伝統的な黄瀬戸釉や伊羅保釉、それに骨灰と弁柄を多量に加えて大きな赤い斑紋を析出させた釉の作り方を述べてみる。

　黄瀬戸釉は灰釉の代表格といえるものである。陶石や石粉に多量の灰を混ぜれば、それ相応の黄瀬戸釉はできる。このとき淡い黄色に色づくのは、2〜3％の鉄分が釉組成中に含有しているからである。黄瀬戸釉は酸化焔で焼成する。それは少量の鉄分を還元焼き青磁釉のように青色にしないよう、鉄をFe^{3+}に凍結させるためである。

　現代の陶芸者も、黄瀬戸釉を作るに灰を用いなければ、意図した趣

を醸しだすことはできないと考え、好ましい配合を編みだそうと、感覚と試行錯誤で苦心三嘆の姿がみられる。まるでそのことが、人知れぬ妙味の発現に絶対条件と考えているようである。

　たしかに、灰に含まれる微妙な成分が、出来映えに大きな影響を与えるのは事実である。しかし、現代のように、再現性と変動の少ない製品を消費者が要求する時代においては、再現性を期すために、灰に代わる「石灰石」や「ドロマイト」のような天然鉱物で、その素性をよく確かめて合理的な配合をすれば、それらしき黄瀬戸釉はできるのである。

　それを表14に示してみた。ゼーゲル式で分かるように、塩基性成分でKNaOのアルカリとCaOのアルカリ土類の比率は、黄瀬戸釉の発祥が石粉と灰を多量に用いたことに由来することから考えたものである。

　さて、写真6（p.6口絵参照）は「伊羅保釉」を施した茶碗である。その組成を表15に示す。このように、塩基性成分内のモル比でCaOのモル比が0.9と、KNaOの0.1に比べて大きく、また、Al_2O_3とSiO_2のモル比でSiO_2が通常の透明釉に比べて小さいことが、伊羅保釉の特徴となる。

　このような組成により、焼成最高温度時の粘稠度の低い、流れやすい釉になり、それが表面張力と均衡がれたとき、条痕状の模様となる。

　写真7（p.6口絵参照）は、鉄化合物によって赤い斑紋が晶出する釉を施した茶碗である。その組成を表16に示した。この釉の基礎的な釉系は「タルク釉」であるが、少量の炭酸バリウムを加えてみた。石灰石に置換しても大きな違いはない。さらに鉄を赤く発色させるため、弁柄と骨灰を多量に用いている。赤い結晶は鉄化合物であるが、多分、ヘマタイト（Fe_2O_3）ではないかと思われる。骨灰の多量添加が、赤色の発色に、大きな効果を与えている。

表14　黄瀬戸釉の組成

0.15 KNaO }0.20 Al₂O₃・2.00 SiO₂ 0.85 CaO		小原砂婆	36.53%
		鼠石灰石	35.59%
		陣屋蛙目	9.56%
		陣屋珪砂	18.32%
		弁柄　外割り	2%

SK 8 OF（1250℃酸化焔焼成）

表15　伊羅保釉の組成

0.10 KNaO }0.45 Al₂O₃・2.00 SiO₂ 0.90 CaO		小原砂婆	26.62%
		鼠石灰石	32.05%
		陣屋蛙目	36.64%
		陣屋珪砂	4.69%
		弁柄　外割り	6%

SK 8～10 OF（1250～1300℃酸化焔焼成）

表16　鉄赤斑紋釉の組成

0.4 KNaO 0.5 MgO }0.65 Al₂O₃・6.00 SiO₂ 0.1 BaO		小原砂婆	58.64%
		桃色タルク	11.79%
		炭酸バリウム	3.80%
		陣屋蛙目	13.28%
		陣屋珪砂	12.48%
		弁柄　外割り	14.00%
		骨灰　外割り	14.00%

SK 10 OF（1300℃酸化焔焼成）

第5章
御本手の緋色

　萩焼きには、ほのかな緋色をあしらった「御本手」と呼ぶ手法がある。それを再現性よく安定に発現させるには、どうしたらよいだろうか。

　御本手の「緋色」は、「鉄」の色効果である。鉄は陶磁器の加飾にもっとも重宝に用いられているものの一つであるが、使い方によって発色の様変わりも激しい。

　金属の鉄が銀色の光沢面を持っていることは周知のとおりで、その鉄を湿気のあるところに放置しておくと、表面が褐色に錆びてくる。それは酸化鉄——つまりFe_2O_3の分子式をもつヘマタイトのFe^{3+}の色である。

　昔、庶民の荷車であったリヤカーの取手の錆は黒かった。それはFe_3O_4の分子式をもつマグネタイトで、Fe^{3+}とFe^{2+}よりなる「逆スピネル型結晶」の錆である。

　硫酸鉄（$FeSO_4\cdot7H_2O$）のように、Fe^{2+}の鉄塩の色は青緑色である。このように鉄が色々な発色をすることには、鉄のイオンとしての荷電数と、その周りのアニオンの配位状態が関係する。

　陶磁器の場合のアニオンは酸素であるが、このような鉄の色の様変わりは、発色の様子として常に現れ、われわれは、それを利用しているのである。Fe^{2+}の代表的なものは「青磁」であるが、これは釉原料

に含まれる比較的少量のFe_2O_3（Fe^{3+}）を還元焔で焼くことにより、釉のようなガラス相中に存在する鉄を、Fe^{2+}まで還元させた色である。

　黒い鉄の色は「引き出し黒」とも呼ばれている「瀬戸黒釉」を代表として考えてみれば理解できるだろう。

　鉄の含有量の多い灰釉などを、焼成熟成温度のときに窯から引き出して急冷すると、$Fe^{3+} \rightleftarrows Fe^{2+}$の平衡関係によって「渋黒」の釉となる。窯中の高温では、還元焼成はもちろんのこと、酸化焔焼成でも鉄の多くは$Fe^{3+} \rightarrow Fe^{2+}$になりやすく、高温で引き出して急冷すれば、$Fe^{2+}$になった状態が凍結されて、黒い$Fe^{3+} \rightleftarrows Fe^{2+}$の関係を作ることができる。

　さて、**写真8**（p.7口絵参照）は、土質の着色素地に白く焼き上がる粘土質の化粧がけをして、御本手をあしらった小茶碗であるが、ここに現れた緋色がまさにFe^{3+}の色である。

　御本手——つまり、「緋色のメカニズム」を考えてみる。緋色を発現させるには、焼成の適時に必ず「還元焔雰囲気の時」がなければならない。今、酸化状態の赤い鉄はFe^{3+}でなければならないと述べたばかりであるが、鉄をFe^{2+}にする還元焔で焼かなければならない不思議は何であろうか。

　それを説明するために、シャモット質の匣鉢を、酸化焔で焼いた時と、還元焔で焼いた場合の、色の違いを比較してみるとよい。シャモットは粘土を仮焼したものである。

　粘土を高温で処理すると、ムライトと、そこから遊離した珪酸、それに含まれていた残留珪石で構成されるようになる。そこに、成形のために生の粘土を加えて、匣鉢を作る素材にするのであるが、このような匣鉢を酸化焔で焼いたとき、含まれている少量のFe^{3+}は、そのままムライトの中に固溶されてしまうものと思われる。

　つまり、$3Al_2O_3 \cdot 2SiO_2$で表わされるムライトのAl_2O_3成分の、極少量をFe_2O_3が置換固溶していることになる。このときのFe^{3+}は酸素四配位で、色は淡い黄色である。その例として、（今では、あまり産出

しないが）常滑の朱泥土坯土そのものは鉄分が数％含まれていても、色は比較的淡い黄土色であることで分かる。このように、粘土中の少量の鉄は四配位であって色は淡いことになる。

さて、粘土を還元焔で焼いてみる。高温でムライトが生成するのは酸化焔と同じであるが、鉄の挙動に変化が起こる。つまりムライトに固溶することができる鉄はFe^{3+}で、Fe^{2+}では無理である。

したがって、還元焔で焼いたとき、鉄イオンは粘土から遊離したFe^{2+}として、さまようことになると著者は考えている。しかし、陶磁器の焼成は、たとえ還元焔焼成であっても、焼成終了から常温に冷めるまで酸素分圧の存在下に曝されるため、遊離していたFe^{2+}は再び結集してFe^{3+}のFe_2O_3になると思われる。それが粘土、つまりシャモット質の匣鉢が還元焔焼成で赤くなる理由である。

御本手のメカニズムも同じことと考えればよい。ただ違うのは、施釉した焼き物であるから、ここで釉の選択と焼成のプロセスが複雑に絡んでくることである。匣鉢で説明したような鉄の$Fe^{3+}→Fe^{2+}→Fe^{3+}$という変化の挙動が、釉の融液化プロセスと合わなくてはならない。

つまり、素地中の少量の鉄分を$Fe^{3+}→Fe^{2+}→Fe^{3+}$と変化させる高温外気を、釉の融液化が遮断してしまっては、よりよい効果は得られない。したがって、焼成スケジュールのタイミングが非常に大切になる。また、釉の組成の影響も大きい。

焼成のタイミングもさりながら、釉組成そのものが大きな影響力をもっていることも事実である。結論から言えば、弱めの「石灰釉」がよく、「石灰・バリウム釉」でもよい。避けるべきは「ドロマイト釉」、「亜鉛釉」で、もちろん「タルク釉」もよくない。

御本手の伝統は「灰釉」であるが、灰には特別な成分がある。つまりCa^{2+}とともにアルカリのK^+を供給することができる。釉に用いる「長石」も「曹長石（Albite：$Na_2O·Al_2O_3·6SiO_2$）」分より「正長石（Orthorase：$K_2O·Al_2O_3·6SiO_2$）」分の多いものの方がよい。また、

灰には燐（P^{5+}）も含まれていて、それらが緋色によい影響を及ぼすのである。

　写真8の製品は、着色する土質の陶器素地を用い、緋色を醸しだすために白い粘土の化粧がけをし、弱めの石灰釉を施して還元焔で焼いたものである。化粧がけする理由は、素地そのものでは鉄分の含有量が多すぎて、コントラストよく御本手を効果的にあしらうことができないからである。

　ここで素地、化粧土、釉の配合を示す。素地は、瀬戸大学粘土40%、枝下木節30%、釜戸長石10%、シャモット20%、それに弁柄が1%加えられている。ゼーゲル式は、$0.03KNaO・Al_2O_3・2.34\ SiO_2$である。

　化粧土は、朝鮮カオリンに陣屋蛙目を10%加えてみた。ゼーゲル式は、$0.01KNaO・Al_2O_3・2.07\ SiO_2$である。

　このとき、素地と化粧土と釉の熱膨張が適正でなくてはならない。つまり、素地は土質で熱膨張が小さいが、上にあげたような化粧土も土質であるから、その熱膨張は素地とよく合うことになる。素地が間違って珪酸質であると、熱膨張は大きくなり、素地と化粧土との間で一種のシバリング現象を起こし、剥離することがある。釉組成は普通の弱めの石灰釉で、その組成を表17に示しておく。

表17　釉の組成

0.30 KNaO	$0.35\ Al_2O_3・3.00\ SiO_2$	インド長石	55.76%
		鼠石灰石	22.36%
0.70 CaO		陣屋珪砂	17.56%
		陣屋蛙目	4.32%

SK 9 RF（1250℃還元焔焼成）

第6章

亀甲貫入焼き

　長石釉の代表は「志野釉」と呼ばれるものであろう。ほとんど長石単味の釉である。それに灰や石灰石を加えていくと、あの、雪をかけたような志野釉が、漸次透明釉になっていく。そのとき還元焔で注意して焼くと、御本手で説明したようなメカニズムによって「紅志野」となって、緋色を見ることができる。

　亀甲貫入焼きの原理は、「粟田焼き」や「薩摩焼き」のような貫入焼きと、基本的には同じである。つまり、「素地の熱膨張が小さく、釉のそれが大きい」という関係によって得られるのであるが、釉の熱膨張を大きくする成分を、長石の中にあるK^+やNa^+のアルカリに求めたのが「亀甲貫入釉」である。

　このように考えると、同じ長石でも「ソーダ長石（Albite）」より、熱膨張を大きく導く、「カリ長石（Orthoclase）」の方がよいことになる。したがって、ここで用いた「インド長石」のようなものがよい。

　亀甲貫入焼きが、ただの貫入焼きと違うのは、施釉の際、ずっと厚掛けしなければならないということである。

　さて、どのような仕組みで亀甲貫入焼きになるのであろうか。このような釉は、焼成が終わった時点から固化までの冷却時に、素地より早く、また大きく、表面から収縮していくのであるが、釉層が厚いため、貫入は釉の表面から始まって次第に内部に進んでいくという時間

的な過程がある。この、釉の「表面」と「内部」の亀裂の起こる時間差が、摺り鉢のような形の貫入発現を起こすことになる。それが外観的に、あたかも亀甲模様に見えるので、その名がある。

　素地は、熱膨張の小さいことが条件であるから、焼成後の熱膨張を小さく導く「ムライト」の生成を多くさせる「粘土質」にする。反対に「珪酸（珪石）」の混入量が多くなると、熱膨張を大きくして目的が達せられなくなる。

　このような条件を考えると、素地の線熱膨張係数は$4～5×10^{-6}$／℃程度で、釉は長石に少量の石灰石を加えた程度の$7～8×10^{-6}$／℃程度にすればよい。そして、くれぐれも厚掛けして、充分に高い温度で焼くことである。

　写真9（p.7口絵参照）の亀甲貫入焼きは、次のようにして作られたものである。素地の組成を**表18**に示した。陣屋蛙目90％中の半分は、焼いてシャモットにした。それは日本人の嗜好に合う「土味」を醸しだすためである。それに色を少し加えるために、弁柄を1％添加した。素地の焼き締めを充分にするため、三河砂婆を10％加えておいた。

表18　亀甲貫入焼きに用いた素地の組成

ゼーゲル式	配合
$0.10KNaO・Al_2O_3・2.76 SiO_2$	陣屋蛙目90％ （内半分は焼いてシャモットにした。）
	小原砂婆10％
	弁柄を　　外割り1％

（註．真の鉱物構成）

長石分	珪石分	粘土分	その他	線熱膨張係数
16.17％	7.54％	75.34％	0.95％	$3.5×10^{-6}$／℃

表19　亀甲貫入焼きの釉の組成

0.785 KNaO	0.793 Al₂O₃·5.136 SiO₂	インド長石	96%
0.215 CaO		鼠石灰石	4%
		線熱膨張係数 8.0×10^{-6} /℃	

（SK10 OF：1300℃酸化焔焼成）

　原料配合は**表18**（前頁）のとおりであるが、それを長石分、珪石分および粘土分の含有割合を原料の分析値からノルム計算をして、真の鉱物構成を算出してみると、**表18**の註書きに示したようになる。つまり、粘土分の含有量が75%と多いので、焼成時に熱膨張の小さなムライトを多く生成することになる。したがって、このときの素地の線熱膨張係数は3.5×10^{-6}/℃であった。釉のそれは8.0×10^{-6}/℃であったから、釉に大きな引っ張り応力がかかる。このような釉を厚掛けすれば、うまく亀甲貫入模様の釉調にすることができるのである。

　このようにして亀甲貫入焼きは作られるのであるが、たとえ、その釉配合が変わらなくても、製造の仕方によって、うまくできる場合と、思わしくない場合がある。特に、用いた素地と釉との熱膨張の関係は、原料の準備から窯から出てくるあいだの製造プロセスに影響されることも多い。

　つまり、亀甲貫入釉のように、釉全体が融液相からなる「透明釉」は、熟成温度に達すれば、それ以後は物性に大きな変化はないが、一般に素地は熱反応途中で終わりとしてしまうのが陶磁器であるから、亀甲貫入の発現をうまく導くためには、まず、素地の熱膨張が小さく、釉のそれが大きくなる条件を、製造プロセスの設定においても探らなければならない。

　素地の熱膨張は、その素材に含まれる粘土分、珪石分、長石分の割

合や焼成温度、さらに雰囲気によって刻々に変わるので、そこに亀甲貫入が成功するか、失敗するかの岐路がある。また、素地の坏土調整は、粒子が細かいほど、焼成時では、その温度が高いほど、さらに、酸化焔焼成より還元焔焼成の方が、混合されている材料、特に珪石分が融液相に取り込まれていって熱膨張を小さくする。これらが実現すると、亀甲貫入の発現は得られやすくなり、そのことが「よく焼け」という意味である。

このように述べてみると、亀甲貫入焼きは、たやすいように思われるが、実際は、かなり、てこずることが多い。クラフト陶芸家を指導した例を述べてみよう。

その陶芸家は、日本人の趣向である「わび」「さび」を重んずるあまり、理不尽な製造法を考えていた。信楽風の融けた粒つぶのある褐色素地面に、亀甲貫入を醸しだそうというのである。そこで試行錯誤の末に考えたことは、蛙目粘土原土にシャモットと、ゴマ粒ほどに破砕した砂婆と、さらに弁柄を数％添加して、素地坏土とした。

それで消費者の満足する土味はできたのであったが、亀甲貫入の釉調を醸しだすためには大きな矛盾があった。つまり、原土は珪砂を多く含んでいて、決して熱膨張を低くすることはできない。さらに、砂婆は長石と珪石によって構成されているので、多量の添加は熱膨張を大きくする。加えた弁柄も、むしろ熱膨張を大きくするため、このような素地では亀甲貫入どころか一本の貫入さえ起こらなかったのである。そこで、前述のような素地坏土を指導して、亀甲貫入は成功したのであった。

さらに、もう一つ難関であったのは、原料の銘柄名と構成鉱物組成との間に、常に変動があることであった。陶磁器は天然鉱物を用いるのであるから当たり前と思っていては、原料の微妙な変動に感受性の高い亀甲貫入焼きのような陶磁器は、うまく作ることができない。つまり、原料の素性・性質を確認しながら、「デザイン（設計）」をしな

ければならないということである。

　また、焼成温度、雰囲気の加減も大切な因子であることも、くどくどと説明しなければならなかった。つまり亀甲貫入のためには、焼成温度は高めの還元焔の方が素地の熱反応が進んで熱膨張を小さくすることができるので、その結果、亀甲貫入の成功性が高くなるのである。

　陶磁器は窯業──つまり「窯を操る業」であるから、くれぐれも窯を充分に手なずけて、その特徴を把握しておくことが成功への道である。

第7章
亜鉛結晶釉

　素地に灰がかかってできた、黎明期の高火度釉は、透明に近い外観をしていたことであろう。やがて、時が経つにつれて、色々な灰や混入物によって独特な釉調が醸しだされることを、陶磁器製作者は会得していった。それらは伊羅保調の釉、艶消し状態の釉等である。

　けれども、それらの外観は、釉表面の微細な結晶の析出によって表現されるものであって、今で言う結晶釉ではない。ここで言う結晶釉とは、大きな結晶を釉面に析出させるもので、それは東洋の「灰釉」から始まった釉には見られないものであった。

　17世紀、イギリスで起こった産業革命は、陶磁器の科学技術の進歩にも大きな影響を及ぼし、その中で、釉の媒熔材に「亜鉛」を用いることがあった。有名なものに「ブリストル乳濁釉」がある。それは亜鉛スピネル（Gahnite：$ZnO \cdot Al_2O_3$）の微結晶を釉中に無数に析出させた釉で、光を散乱させることができるので、半光沢不透明乳濁釉となる。

　このとき亜鉛スピネルは $ZnO \cdot Al_2O_3$ の化学式で示されるように、釉組成としてZnOの多いことはもちろんであるが、Al_2O_3 も多くなければならない。つまり、釉中で亜鉛スピネルが充分に合成できるだけの量がなくてはならない。

　逆にAl_2O_3が少ないと、どうであろうか。釉は、充分に融液相にな

るだけのアルカリ成分はもっている。また珪酸分も不足はないので、そのような組成にすると、ウィレマイト（Willemite：2ZnO·SiO$_2$）の大きな結晶が析出する。そのようなものが、ここでいう「亜鉛結晶釉」である。

写真10（p.8口絵参照）は、亜鉛結晶釉の小花器で、高さ20cmほどのものである。表面に点在した大きなウィレマイトの結晶は同心円模様で形がよい。このようなことが亜鉛結晶釉の一つの特徴といえる。これを実現するためには、**表20 a)** のようなゼーゲル式にもとづく配合がよい。**写真10**の試作品は、その配合に酸化ニッケル：NiOを外割り0.5%加えてみた。

そのとき、ニッケルは面白い挙動をとるのである。つまり、釉の融液相の中にあるNi^{2+}は酸素四配位で「褐色」であるが、ウィレマイト結晶の中に取り込まれたNi^{2+}は六配位で「青い」のである。このようなことが陶磁器の色付けとして面白いし、思惑と夢が駆けめぐることになる。素地は土質のものより磁器質がよい。

表20　亜鉛結晶釉の組成

a)	0.16 KNaO		インド長石	42.27%
	0.24 CaO	0.17 Al$_2$O$_3$・1.50 SiO$_2$	韓国珪石	13.34%
	0.60 ZnO		本山木節	1.10%
			鼠石灰石	12.44%
			亜鉛華	24.85%
b)	0.05 Li$_2$O		ペタライト	17.42%
	0.10 KNaO		インド長石	29.53%
	0.20 CaO	0.15 Al$_2$O$_3$・1.50 SiO$_2$	韓国珪石	11.62%
	0.10 SrO		本山木節	1.22%
	0.10 MgO		鼠石灰石	1.41%
	0.45 ZnO		大分ドロマイト	13.24%
			亜鉛華	18.21%
			炭酸ストロンチウム	7.35%

ここまで述べてくると、亜鉛結晶釉を作るのは、いとも簡単なことと思えるが、実は製造プロセスが大変難しい。結晶が析出することは、結晶組成が過飽和融液からはみ出してしまうことである。
　理科の実験で、「砂糖水」がよく例にされる。常温で水に砂糖を溶かしていくと、ついには、もう溶けなくなる。それが、その温度での過飽和の状態である。温度を上げていくとさらに溶ける。砂糖を再結晶させるには冷やせばよい。たとえば80℃で過飽和直前まで溶かした砂糖を、静置して徐々に常温まで戻せば、大きな氷砂糖が析出する。
　亜鉛結晶釉とは、窯の中で過飽和状態となった融液から、冷却の際、大きく、形よく結晶物を析出させることであるから、ふさわしい条件を作ってやらなければならない。つまり、結晶核が多くては、やたらに結晶が析出して小さな結晶が一面に現れてしまうので面白くない。したがって結晶核は少ない方がよいのである。
　そのためには、なるべく均一な融液相になるように、充分に焼成温度をあげることである。熟成温度から冷却時に結晶が析出するのであるから、わずかに存在する核を成長させることになる。その結晶成長期の温度が大切で、高すぎても低すぎてもよくない。亜鉛結晶釉の場合、1150℃から1100℃程度の温度を長く通過させるとよい。このように考えると、大きな窯で焼けば成功率は高いが、小さな窯では難しいことが理解できるだろう。
　しかし、小さな電気窯等を用いる場合でも、その結晶の発現する仕組みを理解した焼き方に、ひと工夫加えれば、わけの無いことである。つまり、前述のように、核は多くてはならないので、できるだけ少なくするために1300℃程度の充分高い温度まで上げて、なるべく均一な融液相にした後、1150℃から1100℃にいたる間を2〜3時間かけて通過させればよい。それ以後は放冷しても差し支えない。
　ここまで述べてくると、きっと気づかれることがあるだろう。つまり、焼成前に結晶核を植え付けておけば、器物の思うがままの位置に

大きな結晶を成長させることができるのではないかと。そのとおりである。施釉前素地の表面に、ゴマ粒程度の亜鉛の多いウィレマイトに近い成分を種付けしておけばよい。施釉面でもよい。種の植え付けが目立たないためには、ゴマ粒というより「ケシ粒」程度が効率よく、その位置に優先して結晶が成長するのである。

　このような結晶が析出するメカニズムを理解してかかれば、亜鉛結晶釉は、さほど難しいものではない。組成も塩基性の高いアルミナ分の少ない、つまり熟成温度時に粘稠度の低い、さらさらした釉組成が良い。もちろん、ZnOの量は多いほど成功するだろう。融液の粘稠度を低くしたいあまり、よくLi$_2$OやMgO、SrO、BaO等をアルカリやアルカリ土類成分として併用することがあるが、それでも結晶釉にすることはできる。しかしそうすると、結晶は同心円形になりにくく、扇形や針状になりやすい。その理由は、ウィレマイトのZnO・SiO$_2$による結晶に、いろいろな元素が固溶して結晶の格子を歪ませてしまうからである。

　しかし、それは好みによって表現を工夫すればよい。**写真11**（p.8口絵参照）の右は、**写真10**の釉組成と同じで、NiOを倍の **1%添加した**ものである。左側の2点は**表20 b）**（p.62参照）のような釉組成で、上は発色元素無添加、下は酸化銅（Cu^{2+}）1%添加したものであるが、このように、やたらに複雑な成分組成にすると、結晶はいびつな形になりやすい。それは前述のようにウィレマイトを構成する成分、つまり2ZnO・SiO$_2$のZnOが MgOに置換するため、結晶軸に歪みが生じて丸くならないのである。

　KNaOの一部をLiO$_2$に、また、CaOをSrOに置換しても、結晶の形には、あまり関係無いようであった。けれども融液の性質は変わるので、そのことが、結晶の形に影響しないと言い切るわけにはいかないだろう。

　また、発色元素としてのCu^{2+}は、融液に存在するときも、結晶に

存在するときも「緑色」であって、融液と結晶との間の鮮やかなコントラストを演出するNi^{2+}のようにはいかない。

亜鉛結晶釉が成功するか失敗するかの組成範囲は狭いので、用いる原料の成分変動には特に注意を払わなければならない。そのため、ここでは**付表1**（p.1〜3参照）の化学分析値に示されるように、比較的典型的な原料を用いた。それでも天然鉱物であるから、理論的な原料は一つもない。

たとえば、純粋に近いといわれる「インド長石」では、長石分が93％と、さすがに高い含有量であるが、それでも珪石分が5％含まれている。「本山木節」は粘土分92％で長石分、珪石分をあわせて7％含んでいる。特に注意しなければならないのは、昨今、「長石」として市販されているものの中には、花崗岩の風化物を精製したものがあって、当然ながら珪石の含有量は多い。そのようなものを誤ってインド長石のような鉱物であろうと短絡した考えで用いると、釉は乳白したり、結晶が得られ難くなる。

したがって、原料の化学分析値をよく確かめ、その素性を見きわめて、適切な窯業計算のうえで釉配合をすることが肝要である。

第8章

ジオプサイド結晶釉

　表面に大きな結晶を析出させる、いわゆる「結晶釉」には、色々なタイプと、そのための釉組成がある。古くはドロマイト釉系や亜鉛釉系の釉に、ルチル（鉄を含んだチタニア〈TiO_2〉鉱物）を多量に加えた、いわゆる「チタン結晶釉」があって一世を風靡した。

　前章で述べた「亜鉛結晶釉」も、その一つであって、それらの釉には共通した組成上の特徴がある。つまり、焼成熟成温度では粘稠度の低い均一な融液相になり、冷却時にわずかに発生した核を中心に結晶を発達させるに適した釉組成であることが条件となる。

　つまり、焼成熟成温度から冷却過程に移り、温度が下降するにつれて飽和融液状態となって、数少なく発生した結晶核を中心に、原子の移動が可能な温度域の間、結晶が成長するような組成でなくてはならない。

　「ジオプサイド結晶釉」は、亜鉛結晶釉とともに、その条件が適していれば比較的容易に大きく美麗な模様の結晶が得られる釉である。

　結晶釉の成分は、アルカリ、アルカリ土類、アルミナ、珪酸分と、普通の釉成分と大きく変わることはないが、アルカリ土類成分が多く、アルミナや珪酸成分の少ない組成領域でないと成功しない。特に珪酸の多い場合は高温でも粘稠度が高いので、結晶成長温度域で必要な成分の移動が妨げられ、大きな結晶への成長は望めない。

また、アルミナは結晶核を無数に生成させ、釉中で自身を含む微細な結晶を作りやすいので、これも適した成分とはならない。たとえばアルミナ成分の多い「石灰釉」は、灰長石（Anorthite：$CaO \cdot Al_2O_3 \cdot SiO_2$）の偏平微細の結晶が釉面に無数に析出して、艶消し釉となってしまう。

　それに対して、アルカリ、アルカリ土類成分は釉構造中の珪酸ネットワークを切断して粘稠度を低くし、原子の移動を容易にするので都合がよい。特にアルカリ土類成分は結晶に必要な成分であるため、量を多くすることも必要である。

　以上が結晶釉の共通した組成上の特徴と言えるだろう。さて、本章では、そのような結晶釉の一つである「ジオプサイド」の、大きな結晶を析出させた釉を紹介する。

　ジオプサイド（Diopside）は$CaO \cdot MgO \cdot SiO_2$の化学式をもつものであって、それを釉面に析出させるメカニズムは「亜鉛結晶釉」と同じである。亜鉛結晶釉はウィレマイト（Willemite：$2ZnO \cdot SiO_2$）の結晶であるから、その化学式を比べてみると、よく似ている。ただし、ウィレマイトは2成分の等軸晶形であるため、結晶は花のように丸くなるが、ジオプサイドは3成分の斜方晶形であるため、「ギザギザ」した葉のような形になりやすい。とはいえ、釉全体の組成範囲や焼成条件は亜鉛結晶釉とよく似たものである。

　写真12（p.9口絵参照）はジオプサイド結晶をあしらった小花器で、結晶やマトリックス（ガラス相）を色々な遷移元素を添加して色付けしてみたものである。加飾元素を加えなければ、マトリックス相も結晶相も無色のままにすることもできるが、せっかく大きな結晶を作るのであるから、マトリックス相と結晶相とのコントラストの高い方が、結晶が目立って魅力的であると考え、複数の遷移元素を加えてみた。

　基本的には、マトリックスと結晶では成分が分離して、それぞれの相になるため、色付けする遷移元素は、どちらの相に仲間入りするか

の選択性があり、その度合いが大きいほど、マトリックスと結晶とのコントラストは強くなる。

写真12（p.9口絵参照）の3個の小花器は、ジオプサイドの結晶が釉表面に析出していて、それぞれ色合いの表現が異なっている。そこが著者の思惑をこめたところでもあった。では、それらの作り方を述べてみよう。

使用した原料は、ごく普通の材料であるが、結晶釉は組成範囲が狭いので、原料の素性をよく確かめ、正確な窯業計算をして組成変動のないことに充分な配慮をしないと成功しない。

付表1（p.1～3参照）のように「インド長石」は長石分が93％で、かなり典型的な長石原料といえる。「陣屋珪砂」は水簸粘土を採取した残渣であるから、長石および粘土がそれぞれ1％程度混入しているが、珪石分は98％と高く、充分珪石として使えるものである。

「陣屋蛙目」は珪砂と反対に、原土から粘土分を水簸して抽出したものである。したがって粘土の母岩であった花崗岩は長石、珪石、雲母より構成されていて、それが風雨に曝されて地中で分解したとき、カオリニゼーションで粘土化するのであるが、そのとき粘土の母体となるのは長石分であり、含まれていたアルカリ分は、水に溶けて流されてしまう。残った成分で$Al_2O_3 \cdot 2SiO_2 \cdot 2H_2O$のように粘土化するが、花崗岩のもう一つの主要成分である珪石は水に溶けず、そのまま残留して珪砂となる。その粘土分が蛙目粘土で、ゴマ粒ほどの残渣が珪砂である。

「大分ドロマイト」は、ドロマイトと石灰石の混合物である。「桃色タルク」は中国産であるが99％と純度は高い。

このように、理論どおりの陶磁器原料は、一部を除けばあまりないので、立てたゼーゲル式を満足するように陶磁器釉を作るには、分析データから綿密な窯業計算をする必要がある。

表21は、**写真12**の3点の釉について、ゼーゲル式と、その配合を示

表21　写真12の釉組成

(写真左)

0.20 KNaO	⎫	インド長石	45.67%
	⎬	陣屋粘土	2.56%
0.40 MgO	0.225 Al₂O₃・2.25 SiO₂	桃色タルク	7.91%
		陣屋珪砂	20.07%
0.40 CaO	⎭	大分ドロマイト	23.79%

(外割で酸化ニッケル (NiO) 1%、酸化コバルト (CoO) 0.3%添加)

(写真中)

同上	同上

(外割で酸化銅 (CuO) 1%、酸化コバルト (CoO) 0.15%添加)

(写真右)

0.20 KNaO	⎫	インド長石	48.89%
	⎬	陣屋粘土	−0.40%
0.40 MgO	0.2 Al₂O₃・2.00 SiO₂	桃色タルク	8.47%
		陣屋珪砂	17.58%
0.40 CaO	⎭	大分ドロマイト	25.46%

(外割りで酸化鉄 (Fe₂O₃) 2%、酸化コバルト (CoO) 0.3%添加)

したものである。

写真12左はマトリックスを黒く、結晶はなるべく白くなるように考えた。

つまり、ジオプサイド結晶はCaO・MgO・2SiO₂の化学式で示されるが、色付けされるNi^{2+}とCo^{2+}のイオン半径は、それぞれ0.78Å、0.82Åであるから、1.06ÅのCa^{2+}より0.78ÅのMg^{2+}の位置に同形置換すると思われる。

しかし釉組成中のCa^{2+}とMg^{2+}は着色元素より圧倒的に多いので、色付け元素が優先して導入されることはない。したがってマトリックス相に多く残ることになる。その結果、マトリックスはNi^{2+}の黄橙色とCo^{2+}の紺色とで、黒く色付く。結晶の方も少しは固溶されるので銀

色程度の色が付く。

　写真12中央は、Cu^{2+}（0.96Å）とCo^{2+}の色付けであるが、Cu^{2+}はマトリックス、結晶の両方に存在することが容易で、結晶もかなり濃く、青緑の呈色をさせることができる。

　写真12右は、発色元素としてFe^{3+}（0.67Å）とCo^{2+}を添加したもので、この場合、Fe^{3+}はジオプサイドと同形のパイロキシン（Pyroxiene：$CaO・Fe_2O_3・SiO_2$）として固溶体をつくるので、結晶の方に多く移動することができ、金褐色の色が付く。素地としては、陶器質より磁器質の方が成功しやすい。

　写真13（p.9口絵参照）は、ジオプサイドの結晶を、コントラストをつけて色々な色表現を醸しだす探求のために実験した試料で、その組成を**表22**に示しておく。

表22　写真13の釉組成

0.10 KNaO		インド長石	25.37%
		陣屋粘土	6.56%
0.35 MgO	0.15 Al_2O_3・2.00 SiO_2	桃色タルク	1.60%
		陣屋珪砂	30.13%
0.55 CaO		ドロマイト	36.34%

（外割りで酸化鉄（Fe_2O_3）2%、酸化コバルト（CoO）0.3%、酸化ニッケル（NiO）1%、酸化マンガン（MnO_2）2%、酸化銅（CuO）2%をそれぞれ組み合わせて添加した）

　前章や本章で述べてきたように、このような結晶釉に発色遷移元素を少量添加した場合、結晶へ優先的に移行しやすい元素と、母体ガラス相に留まりやすい元素がある。また、結晶相とマトリックス相に同量存在していても、色合いが異なる。

　たとえば左から3列目はMnO_2を2%添加した列であるが、上段はさらにCoOを3%加えたものである。中段はNiOを1%、下段はFe_2O_3を2%加えてみた。そのとき上段のMn^{2+}とCo^{2+}の挙動が、色表現に大き

く影響しているのである。

　つまり、双方がマトリックス相に存在したとき、元来Co^{2+}の青色とMn^{2+}の褐色が混色となって青黒くしているが、結晶中ではCo^{2+}の発色が優先され、しかもマトリックス中でのCo^{2+}は酸素四配位であったのが結晶中では六配位となって、そのときピンクの発色をするのである。

　陶磁器構造中のCo^{2+}は、青花（呉須染め付け）で分かるように青色や紺色が多いが、鉱物としてのコバルトオリビン（$2CoO・SiO_2$）は濃いピンク色である。したがって上段のピンク色結晶は、ジオプサイドにCo^{2+}が固溶した（$(MgO・CaO・CoO)・SiO_2$）発色であって、それはコバルトオリビンと同じ発色メカニズムによるのである。

　中段はMnO_2とNiOとの組み合わせであるが、このときもニッケル固溶ジオプサイドとしての色表現が支配している。

　下段はMn^{2+}とFe^{3+}がマトリックス相と結晶相の両方に均等に発色している場合である。

　このような色付きジオプサイド結晶釉を作るには、酸化焔の方がよい。還元焔焼成では鮮やかな色合いを醸しだすのは難しい。熟成温度は1300℃程度の高温がよい。このジオプサイド結晶釉も、亜鉛結晶釉のように窯の冷却時に結晶が成長する温度域を、ゆっくり通過させるか、2～3時間保てば、容易に成功するのである。

第9章
石灰釉系色釉の特徴

　酸化焔で焼成する高火度釉には、「石灰釉」、「石灰・バリウム釉」、「ドロマイト釉」、「石灰・亜鉛釉」等の色々な釉系があるが、配合の工夫によって表現できる釉調は千差万別である。それらに骨灰やチタニア（TiO_2）のような乳白助成剤を加えると、さらに釉の表情は変化満遍となって、生き物を醸しだすような妙味を楽しむことができる。
　一般に、「高火度釉」は媒熔原料として長石、石灰石、ドロマイトを、また釉調を整えるために粘土や珪石などの天然鉱物を原料として配合するが、それらの原料の組み合わせ次第で発想した釉調になるか否かの岐路がある。それには一つの法則性があって、それを理解していなければ、焼き物の妙味と賢い釉の扱い方を自分のものにすることはできない。
　通常、釉の表情を想定するときは、ゼーゲル式を立てて考えるのが便利である。ゼーゲル式の一般式は次のように表示される。

$$\left.\begin{array}{l} aR_2O \\ bRO \end{array}\right\} xAl_2O_3 \cdot ySiO_2 \qquad a+b=1 とする$$

　R_2OはNa_2OやK_2Oなどで、それを長石からまかなう。ROにはMgO、CaO、BaO、ZnOなどが用いられ、それらのうちCaOは石灰石やドロマイトで、MgOはタルクやドロマイトから、BaOとZnOは、それぞ

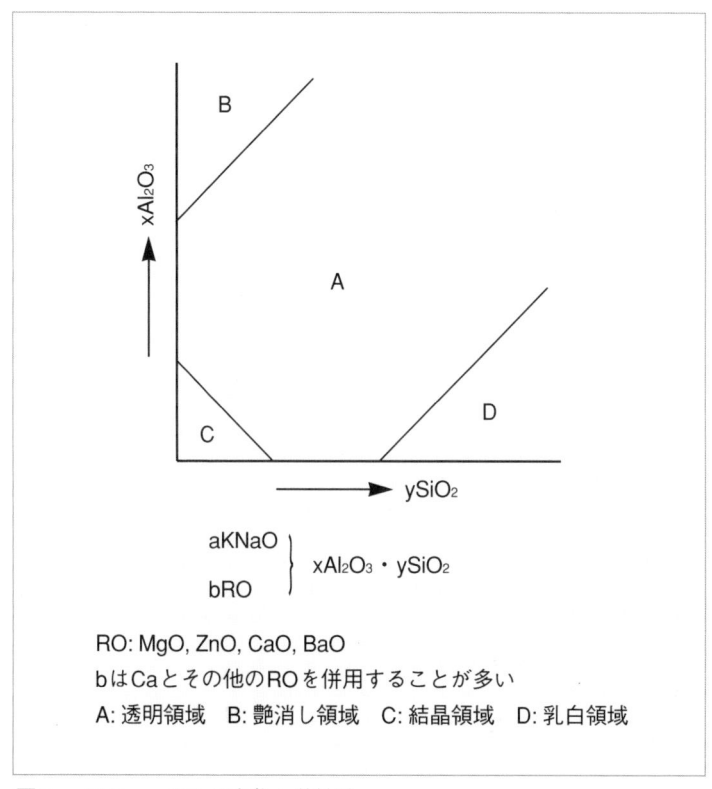

```
         B
   ↑    /
 xAl₂O₃ /
       /
      /
      |    A
      |
      |
      |          D
      | C  \    /
      |_____/_____→ ySiO₂

         aKNaO  }
         bRO    }  xAl₂O₃・ySiO₂

  RO: MgO, ZnO, CaO, BaO
  bはCaとその他のROを併用することが多い
  A: 透明領域  B: 艶消し領域  C: 結晶領域  D: 乳白領域
```

図2　xAl₂O₃・ySiO₂の変化と釉性状

れ工業用炭酸バリウム、工業用亜鉛華を用いる。Al₂O₃は長石と粘土から、SiO₂は粘土および珪石から供給することになる。

　これらの原料を組み合わせることで、色々な特徴のある釉を作ることができるのであるが、それにはゼーゲル式のうちAl₂O₃とSiO₂のモル比関係が大きな役割を果たす。それを図2に示しておく。Aは透明釉となる領域で、Bは艶消し釉、Cは結晶釉、Dは乳白効果を起こしやすい領域である。

　石灰釉系では、B領域は艶消し釉として基本となる領域であるが、C、D領域とA領域との区別は、はっきりしない。D領域でSiO₂のモ

ル比が5.0～6.0と大きくなると半光沢艶消し状になるが、それは加えた珪石が未溶融の残渣となって懸濁したものであるから、安定した釉表現が得られるとは決して思ってはならない。しかし、灰釉から始まった石灰釉系は、光沢と透明性豊かな東洋の焼き物の特徴を如実に表わす、あらゆる釉の基本である地位に揺るぎはない。

さて、この石灰釉に色付けをしてみる。選んだ釉組成は、

$\left.\begin{array}{l} 0.3 \text{ KNaO} \\ 0.7 \text{ CaO} \end{array}\right\} x\text{Al}_2\text{O}_3 \cdot y\text{SiO}_2$

A領域組成：x=0.45　y=4.5
B領域組成：x=0.65　y=3.0
C領域組成：x=0.35　y=3.5
D領域組成：x=0.35　y=5.5

である。添加した遷移元素酸化物は、

Fe_2O_3：6%, 12%、MnO_2：5%、Cr_2O_3：2%、CoO：1.5%、NiO：2%、CuO：2%で、焼成はSK10 OF（1300℃　酸化焔）とした。それらの石灰釉系色釉は、**写真14**（p.10口絵参照）のような表情を示した。

前述のように、石灰釉系はガラス化範囲が広く、乳白したり結晶が析出することが少ないので、遷移元素を添加しても、単に色が付くだけのことが多い。けれどもA、B、C、Dの各領域間では同じ遷移元素を添加しても、それぞれ色合いが異なる。

つまり、各領域の釉調は、光の反射現象である光沢、艶消し、乳白などの状態の程度に応じて、光の選択反射現象である「色合い」に影響するのは当然としても、組成の変動は発色のもととなる「遷移元素の光吸収」の様子にも変動を与え、吸収波長までも移動させる。つまり色合いさえ大きく変えてしまうのである。それを**写真14**最右列の酸化銅（CuO）2%添加で調べてみよう。

石灰釉系は透明釉として有利な系であるが、その系に酸化銅を加えたもっとも普通の色合いはA領域で表現でき、**写真14**では下から2段目の「銅織部釉」のような緑色の透明光沢釉がそれである。

表23　各領域の配合比率

	福島長石	福島珪石	赤坂石灰石	朝鮮カオリン
A領域組成	42.78%	32.36%	16.90%	7.96%
B領域組成	50.33%	5.05%	19.89%	24.73%
C領域組成	52.04%	25.61%	20.57%	1.78%
D領域組成	38.48%	44.99%	15.21%	1.32%

（添加した遷移元素酸化物は、Fe_2O_3：6%、12%、MnO_2：5%、Cr_2O_3：2%、CoO：1.5%、NiO：2%、CuO：2%で、乳白材はTiO_2：6%である。焼成はSK10 OF（1300℃ 酸化焔）とした。）

　最上段はC領域で、この領域はA領域に比較して塩基性成分（K^+、Na^+、Ca^{2+}）が多く、銅の発色を青色傾向に導く。この現象は、同じCu^{2+}による発色であっても織部の緑に対して軟火釉のトルコ青の青い色合いがあるように、そのメカニズムは、配位子場理論で解けるのである。

　上から2段目はB領域の艶消し領域で、それを弁柄（Fe_2O_3）添加で釉調を見てみる。この領域はアルミナ成分が多いので（配合では粘土分が多くなる）、灰長石（Anorthite：$CaO・Al_2O_3・2SiO_2$）が析出した黒褐色の艶消し釉になる。

　B領域からC領域にかけては、鉄分が多いか少ないかによって、さまざまな趣向を凝らした釉調表現が楽しめる。たとえば、塩基性成分のうちKNaOのモル比を減らし、CaOを増した、C領域に近いところでは「伊羅保釉」となる。反対にKNaO分が多く、鉄分の少ないとき「黄瀬戸釉」になる。それらは、A領域の「石灰天目釉」とともに陶芸家が好んで用いる趣味の釉となる。

　単純な石灰釉系では、前述のように、D領域でも乳白釉とはならない系であるが、それでも骨灰やチタニアのような助成材を加えると乳白する。そのとき、ゼーゲル式のxAl_2O_3のモル数が小さく$ySiO_2$の大きい――つまり、D領域付近が有利であることは、いうまでもない。

第9章　石灰釉系色釉の特徴

このようにして乳白させると全体がパステル調になるとともに、遷移元素の釉中での光吸収波長が移動して、色合いと、その表情にも変化が起こる。
　それを**写真15**（p.10口絵参照）に示しておく。この場合はチタニア（TiO_2）を外割り6%乳白材（Opacifire）として加えた。このように全体がパステル調になって、透明性豊かなことが特徴であった石灰釉系が一変する。また、チタニア添加の独特の色合いも得られて、加飾の発想に夢をもたらすのである。
　このようなことが釉の組成を操る面白さであって、そのメカニズムを心得ていると、一層楽しさは増すことになる。そのためには組成管理に充分な注意を払わなければならない。つまり、自身で考えて気に入った釉組成があれば、それをゼーゲル式にして記録し、原料変動の激しい昨今の事情があっても、先に立てたゼーゲル式を忠実に復元できる技術力を身につけることである。
　すなわち原料の分析値を用いて、確実に配合計算ができる力が絶対必要条件となる。それに焼成の合理的な管理があってこそ、成就できるのが陶磁器技法である。

第10章
ドロマイト釉系色釉の特徴

　石灰釉のゼーゲル式のうち、CaOの一部をMgOに置換したものを「石灰・マグネシア釉」という。そのマグネシア分はタルクからまかなうこともできるが、ドロマイトから摂取すると便利である。それを「ドロマイト釉」と呼ぶことにする。
　ドロマイト釉系は、石灰釉系と違って透明釉領域（A領域）と結晶釉領域（C領域）および乳白釉領域（D領域）の違いが、はっきりと区別できる釉系である。
　A領域はガラス化範囲の中にあって透明釉になるのであるが、B領域は、通常は石灰釉と同じように灰長石（Anorthite：$CaO \cdot Al_2O_3 \cdot 2SiO_2$）が析出する。ときにはスピネル（$MgO \cdot Al_2O_3$）やコージライト（$2MgO \cdot 2Al_2O_3 \cdot 5SiO_2$）が析出することがある。それらの析出鉱物は、焼成熟成温度での均一な融液から、冷却中に速やかに結晶化し、釉表面に微細な結晶となって無数に析出するので艶消しの釉調になる。
　C領域は石灰釉系と違い、大きな結晶を作ることが可能な領域となる。D領域も同様に、乳白釉となる領域である。
　このような「結晶化」あるいは「乳白釉調」のために、ドロマイト釉では石灰釉のように助成材を必要としない。そのような特徴が石灰釉系との大きな違いである。では、その違いがどうして起こるのかを考えてみよう。

ドロマイト釉の一般ゼーゲル式は、

$$\left.\begin{array}{l} aKNaO \\ bCaO \\ cMgO \end{array}\right\} xAl_2O_3 \cdot ySiO_2$$

である。ゼーゲル式を見て分かるようにCaOの一部がMgOに置換されていることが、この釉系の特徴を演出するのであるがCa^{2+}とMg^{2+}のイオン半径の異なることが釉系の違いを支配する。

石灰釉系におけるA領域は、普通の窓ガラスと同じように珪酸四面体による不規則網目構造のつながりの中に、K$^+$、Na$^+$やCa^{2+}が割り込んでガラス化を助長するので、透明な光沢釉となる。

その理由は、イオン半径の大きい1.06ÅのCa^{2+}や、K$^+$（1.33Å）およびNa$^+$（0.98Å）は、不規則網目構造を押し広げるとともに、網目の連携を切断して融液化を助長するためである。イオン半径が0.78Åと小さいMg^{2+}は、網目を押し広げることより、むしろ珪酸を含めたクラスター（集団）を作りやすい。それが、ドロマイト釉系の結晶を析出させたり、乳白したりする原因となる。

乳白材を添加しない**写真16**（p.11口絵参照）を見てみよう。最上段は大きな結晶が析出しやすいC領域であり、上から二段目は艶消しになりやすいB領域、三段目は透明釉となるA領域、それに最下段は乳白釉となるD領域である。

ドロマイト釉系の特徴は、このように石灰釉系と違ってA、B、C、Dの領域釉調がはっきりと区別できるのである。とくに、その特徴領域はC領域とD領域であって、それを遷移元素無添加の最左列で見てみる。

最上段のC領域は、ジオプサイド結晶（Diopside：2（CaO・MgO）・SiO$_2$）が析出しやすい領域で、試験体では、その細かい結晶が表面の全面に析出して白い外観を呈している。そのとき、次に述べる「分相乳白」も、ともなっている。

2段目は艶消し領域で、表面には灰長石（Anorthite：CaO・Al$_2$O$_3$・2SiO$_2$）を主体とした細かい鱗片状の結晶が釉表面に無数に析出しており、艶消し状の外観になっている。陶磁器で艶消し釉を表現するには、表面で「光の乱反射」を起こさせなければならない。それには釉組成のうちCaOとAl$_2$O$_3$を多くして、融液から灰長石を析出させることが、もっとも安易な方法である。

　3段目は透明領域で、Al$_2$O$_3$／SiO$_2$の比が 1／9〜10 であることが条件である。

　4段目は乳白領域で、Al$_2$O$_3$が少なくSiO$_2$が多いときに起こる。では、どうして乳白になるのだろうか。それはガラス相という融液が、二種類のガラス相に分離することによるのである。これは私達が毎日の恩恵をうけている「牛乳」の乳白現象と同じである。二種類の、それぞれのガラス相は成分が違うので、屈折率も異なる。釉内部の相間界面で光が散乱するために、乳白して見えるのである。

　さて、それらの領域に色々な遷移元素を導入して、色付けしてみよう。

表24　各領域基礎釉の組成

0.2KNaO		
0.5CaO	xAl$_2$O$_3$・ySiO$_2$	A領域：x=0.45　y=4.0
0.3MgO		B領域：x=0.55　y=2.5
		C領域：x=0.25　y=2.5
		D領域：x=0.25　y=4.0

	福島長石	福島珪石	ドロマイト	赤坂石灰石	朝鮮カオリン
A領域	30.49	33.46	17.43	2.47	16.15
B領域	37.94	8.52	21.70	3.07	28.77
C領域	43.80	24.45	25.04	3.54	3.17
D領域	32.84	43.35	18.78	2.66	2.37

（添加した遷移元素はFe$_2$O$_3$：5％および10％、MnO$_2$：5％、Cr$_2$O$_3$：2％、CoO：1.5％、NiO：2％、CuO：2％である。乳白材として添加した骨灰は6％である。）

まずは**写真16最上段**の「結晶領域」である。Fe_2O_3、MnO_2、Cr_2O_3の添加では、それらのイオン半径がFe^{3+}：0.67Å、Mn^{4+}：0.60Å、Cr^{3+}：0.64Åであるから、Al^{3+}：0.57ÅのAl_2O_3添加と同じように結晶核や分相核の生成を阻害するので、結晶の生成は少ない。特にFe_2O_3の添加はAl^{3+}の結晶化抑制効果と同じような働きがあって、この領域では5%添加で飴釉、10%添加ではさらに色の濃い飴釉になる。特にFe_2O_3の添加はAl^{3+}の結晶化抑制効果と同じような働きがあって、この領域では5%添加で飴釉、10%添加ではさらに色の濃い飴釉になる。

CoO、NiO、CuOは、イオン半径がCo^{2+}：0.82Å、Ni^+：0.78Å、Cu^{2+}：0.73Åと、Mg^{2+}：0.78Åに近いイオン半径を持っているので、ジオプサイド形の結晶析出を助長する。特に右から二列目のNiOはMgOと同じイオン半径であるから、その助長効果は強い。しかし、それらの遷移元素は結晶に少量しか固溶しないので色は淡い。

CoO添加ではCo^{2+}がジオプサイド結晶に少し固溶するが、そのとき「淡いピンク色」となる。Co^{2+}は透明釉のようなガラス相中では酸素四配位で「紺色」を呈するが、ジオプサイドに固溶したCo^{2+}は六配位で「ピンク色」となる。

この色変化の理由は、配位子場理論で解くことができる。Cr_2O_3は、融液化しないCr_2O_3や、いくぶん融液に融け込んでしかもCr^{6+}イオンとなったものも混ざっていて、すっきりした緑色とは、かけ離れたものになった。Fe_2O_3の添加は、Al^{3+}の結晶化抑制効果と同じで、この領域では5%添加で飴釉、10%添加では色は濃くなるが、「天目釉」のような釉調とはならない。

写真16の2段目は「艶消し領域」であるから、いずれの着色元素添加でも釉表面は光沢が鈍い。発色について言えば、Cr_2O_3添加で淡褐色になったが、それはCr^{3+}の一種の色合いである。詳しくは次章の亜鉛釉系色釉の特徴で述べることにする。

3段目は「透明釉領域」であるから、いずれの発色元素でも、この

ように少量であれば、光沢・透明性を損ねることはない。ただ Cr_2O_3 添加だけは前述のように、いくぶん懸濁するので、そのため釉調が損なわれる。

　最下段は「乳白領域」であるから、その現象による釉調効果が、よく現れている。けれども、添加された着色元素の種類や量によっては、分相助長とともに結晶化を促進させるものがある。たとえばFe_2O_3の5%添加やCoO、NiO、CuO添加などである。

　このように同じ釉系で同じ遷移元素を同量添加しても、その組成や焼き上がったものの組織・構造によって、発色具合はさまざまである。陶磁器において、各遷移元素の発色は3段目の「透明釉領域」で表現されると思いがちであるが、そうではない、この**写真16**で見られるように、その扱い方によって大きく変貌するものであることを知っておこう。

　写真17（p.11口絵参照）は、乳白材として骨灰（主成分はApatite：$3CaO・P_2O_5$）をさらに6%加えて試験したものであるが、この場合、C領域では、むしろ結晶の析出が抑制されてしまう。けれども、この系全体の組成領域で乳白化が促進されて、パステル調の色釉にすることができる。したがって、骨灰は効果的な乳白材といえるが、その乳白の主因は燐酸（P_2O_5）による「分相助成効果」である。

第11章

石灰・亜鉛釉系色釉の特徴

　石灰・亜鉛釉系は、ドロマイト釉系と同じように、乳白助成材や結晶化助成材を加えなくても透明釉領域、艶消し釉領域、結晶釉領域、乳白釉領域と、その区分が、はっきりと分別できる代表的な釉系である。したがって、ここでは乳白助成材無添加の場合と、TiO_2を6％加えて一層その特徴を強調し、さらに色々な遷移元素を添加して、色付けをしてみた。すると亜鉛釉系は釉組成によって、それぞれの個性を主張し、**写真18、19**（p.12口絵参照）のように、まことに目まぐるしく、多種多様の釉調と色表現をするのである。

　写真試料の釉組成は、

$$\left.\begin{array}{l} 0.2\ KNaO \\ 0.5\ CaO \\ 0.3\ ZnO \end{array}\right\} xAl_2O_3 \cdot ySiO_2$$

A領域組成：X=0.45　y=4.0
B領域組成：X=0.55　y=2.5
C領域組成：X=0.25　y=2.5
D領域組成：X=0.25　y=4.0

で、前章と同じように色々な遷移元素酸化物を添加した。焼成は電気窯でSK10 OF（1300℃酸化焔）である。用いた原料と、その素性は**付表1**（p.1～3参照）を参照されたい。各領域の基礎釉配合を**表25**に示しておく。

　さて、「亜鉛釉」とは、どんな釉であろうか。いつも言うことであ

表25　各領域基礎釉の配合比率

	福島長石	福島珪石	赤坂石灰石	亜鉛華	朝鮮カオリン
A領域	30.72	33.75	13.01	6.25	16.27
B領域	38.32	8.61	16.22	7.80	29.05
C領域	44.29	24.74	18.75	9.02	3.20
D領域	33.11	43.74	14.02	6.74	2.39

（発色遷移元素としてFe$_2$O$_3$：6%および12%、MnO$_2$：5%、Cr$_2$O$_3$：1%、CoO：1.5%、NiO：2%、CuO：2%それに乳白材としてはTiO$_2$を6%添加した）

るが、東洋の焼き物は媒熔材に灰を用いたのであるから、亜鉛を用いる習慣はなかった。西洋で使用された有名な亜鉛釉に「ブリストル釉」があるが、それは1μmほどの微細な亜鉛スピネル（Gahnite:ZnO・Al$_2$O$_3$）が釉内部に無数に析出して乳濁現象を起こした釉である。その現象が亜鉛釉の最大特徴とされた。

　もう一つの亜鉛釉系の大きな特徴はドロマイト釉系と同じように分相による乳白領域の存在が顕著であることで、さらに大きな結晶が析出しやすい釉系でもある。けれども、この章の試験組成は亜鉛結晶釉を目的とするのに適する亜鉛成分のモル比0.6ZnOに比較して、0.3ZnOと少なくしてあるので、大きな結晶を析出させることはできない。

　写真18最上段の横列が、それらである。左端は遷移元素無添加で、このようなゼーゲル式では通常は大きな結晶を発生させることが難しいとともに、乳白させるにも効果が低い。2段目のB領域では、微細な亜鉛スピネル（Ganite:ZnO・Al$_2$O$_3$）が無数に析出しやすい領域であるため、半光沢乳白の釉調となる。それが上に述べたブリストル釉となる組成領域である。

　3段目は、ごく普通の透明釉領域であるが、最下段のD領域はドロマイト釉系と同じように分相による乳白現象が起こる領域である。こ

のように、亜鉛釉系はA、B、C、D領域の区別が明確に出現する釉系であって、ドロマイト釉系と同じ傾向を示す。

遷移元素を加えて色付けしてみると、一層その特徴がよく分かる。たとえばCr_2O_3添加の縦列で、元来Cr^{3+}の色は緑であるが、この場合は明るい褐色に発色している。それはCr^{3+}がCr^{6+}に遷移したのではなく、亜鉛スピネルのAl_2O_3の位置に少量のCr_2O_3が置換固溶したためで、そのとき、Cr^{3+}は、ピンク色を呈するのである。

特に2段目のB領域では亜鉛スピネルが析出しやすいので、ピンク色も鮮やかである。その理由については次章で詳しく述べることにする。

亜鉛釉系は、このように特徴の豊富な釉系であるが、もう一つCuO添加の縦列で観察してみよう。釉中の銅の発色においてCu^{2+}がガラス構成成分として存在しているとき、周知のように「織部釉」では緑であるが、低火度釉の「トルコ青釉」はスカイブルーである。**写真18**（p.12口絵参照）のCuO 2%添加で、最上段と最下段は青いが、中間の二つは織部色である。その違いがどうして起こるのだろうか。

それこそが亜鉛釉系の特徴であって、「分相現象」が関係しているのである。つまり、この釉系で、釉が分相を起こすと、塩基性の高い相と酸性の高い相に分離し、そのときCu^{2+}は塩基性成分であるから塩基性の高い相の方に仲間入りして、Cu^{2+}の発色をより青い方向に誘導するのである。

写真19（p.12口絵参照）は、さらに乳白材としてTiO_2を6%加えてみた。元来、亜鉛釉系は乳白したり結晶が析出しやすい釉系であるが、チタニアを加えることによって、一層、そのことが強調される。**写真19**の最上段は、結晶が析出しやすい領域であるが、ZnO 0.3ではウィレマイトの結晶を析出させるのは無理であることは前述したとおりである。けれどもチタニア無添加の**写真18**でも分かるように、最上段はわずかであるが、分相の起こり得る領域であるから、**写真19**のよ

うにチタニアを加えると、分相が大きく助長されて、白く強く乳白することになる。この段の横列では、Fe₂O₃（12%）とMnO₂添加を除いて、チタニアの乳白助成効果が、よく現れている。

Fe₂O₃（12%）では俗にいう「チタン結晶」の外観が見られる。それは、亜鉛の含有量が少なくてもチタニアと鉄が関与したウィレマイトに近い結晶の析出であると思われる。ドロマイト釉系でもチタニアと鉄を加えると、同じように結晶を析出させることができる。それはジオプサイド類似の結晶であろう。

以上のようなことから、石灰・亜鉛釉系とドロマイト釉系では、よく似た釉調表現ができる。それはZnOとMgOの元素としての性質が似ているからで、特にイオン半径がMg^{2+}：0.78、Zn^{2+}：0.83と、ほぼ同じぐらいであることが、このような現象を起こす元素の共通な性質といえる。それについては7章の「亜鉛結晶釉」、8章の「ジオプサイド結晶釉」でも述べた。

亜鉛釉系でチタニアと遷移元素酸化物を併用して添加した場合、発色にも大きな変化をもたらす。前述のように、酸化クロームは元来「緑色」であるが、亜鉛スピネルに少量固溶した場合、ピンク色となり、チタニアを加えた場合（**写真19**）でも若干黄色味を帯びてはいるが、ピンク色となる。

この現象は、同じ「亜鉛スピネル」でも、Ti^{4+}が関与したZnO・((R+TiO₂)・Al₂O₃)のような、微細結晶の懸濁となったためであると考えられる。

このように、**写真19**の2段目は、TiO₂を加えても、微細な亜鉛スピネルが無数に釉中に析出する領域である。左端縦列の遷移元素無添加と5列目のCr₂O₃添加が、その特徴をよく表わしている。

CoO、NiO、CuO、Fe₂O₃（12%）添加では、加えた遷移元素とTiO₂が絡み、結晶が析出して、それぞれ特徴のある色合いと釉調が表現される。

Fe₂O₃（6%）添加では、無添加やCr₂O₃添加と同じように、微細な「ガーナイト析出」による乳濁現象が支配的な釉調となった。
　Cr₂O₃の添加の「ピンク色」は前述と同じであるが、CoO、NiO、CuO添加の場合、色の変化は激しい。
　CoO添加の「緑色」は、ZnO・CoO・TiO₂による結晶の色である。
　NiO添加では、「緑色」の結晶が析出した。この場合もZnO、NiO、TiO₂の関与した結晶である。
　CuOは、ガラス相中で塩基性が強いときは「青色」、酸性が強くなるにつれて「緑色」へと変化するが、通常、結晶中では「黒褐色」であるため、釉から析出する銅関与結晶物をきれいに色付けをすることは難しい。ところが、「エジプトブルー」という色があり、書物にはCaO・CuO・SiO₂系の鉱物であると記載されている。しかし、著者の実験では、粉体加熱反応で青く合成することはできなかった。ところがCaOをSrOに置換したSrO・CuO・SiO₂系で、「ジルコン・バナジウム青」と同じような青色の焼成合成物を作ることに成功したのである。
　Mn²⁺のガラス相中の色は、普通「褐色」であるが、釉の中で塩基性が強いと「紫味」にすることができる。和絵の具の紫色は、MnO₂を発色元素としたもので、そのときK⁺のような、強い塩基性成分の多いフラックスを用いると成功するのである。
　写真19（p.12口絵参照）の3段目は、チタニアを添加しなければ「透明光沢釉」となる領域であるが、TiO₂が6%も加えられているので、さまざまな表現が醸しだされて面白い。これらはすべて「乳白」することに依存しているのであるが、このことはTiO₂が強い乳白助成材であることを如実に示している。
　写真最左端の「遷移元素無添加」でも「青灰色」に色付いているのはなぜか。陶磁器では通常、色付けできるのは遷移元素の存在があって発現することであるから、まったく不思議である。おそらくそれは、

チタニアの分相乳白現象と、素地に含まれる「鉄」の釉中への拡散による現象であることに間違いない。チタニアが関与した分相相に微量の鉄が存在すると、青くなるのである。この理由は「青インク」におけるFe^{2+}とFe^{3+}の関係と同じである。このことは、世に燿変天目釉の青白く輝く原理に通ずるものであると、著者は考えている。

最下段は、TiO$_2$無添加でも強く乳白する領域であるが、**写真19**の試験では、TiO$_2$を6%添加したため、一層、乳白現象は強くなった。このように、TiO$_2$を6%も添加することは、全体に分相効果を促進し、またTiO$_2$の関与した微細結晶（Sphene：CaO・TiO$_2$・SiO$_2$）や亜鉛スピネルの析出などで、乳濁する傾向の高い釉系であることを再度強調しておこう。

「亜鉛釉」は西洋で発達した釉であるが、今まで述べたような理由により、現在の日本においてバラエティに富んだ釉系として重宝に使えるものである。思いがけない釉調と色付けを発見できて、釉の妙味を楽しむにはうってつけの釉系と言ってよいだろう。

けれども日本では、釉組成に亜鉛華を用いる技術は、高火度の石灰釉に加えて焼成温度を低めるためのものとして発達した。つまり、「透明石灰釉」ではKNaOやCaOの含有量を増して低温焼成を目指しても、SK8（1250℃）程度が限度である。しかし、CaOをZnOにいくぶん置換することによって、SK6（1200℃）まで下げることができる。それが、「磁器」より低い温度で焼成する「半磁器」や「硬質陶器」の釉として重宝に用いられ理由である。

日本では、還元焔で焼く磁器の釉に、少し青みがかかる「石灰釉」を広く用いているが、焼成するときに、釉が融液化する温度と、還元焔に入る時期とのタイミングを逸すると、「酔い」といって黄ばんでしまったり、「すす蒔」といって黒ずむことがある。それを逃避するため、還元焔に入る温度の許容範囲を広げる素材として、亜鉛華の添加が行なわれている。

しかし、それには弊害もある。つまり、亜鉛は揮発性が高いので、亜鉛華蒸気が窯の中に充満した場合、冷却中に製品に沈着することがあり、しばしば表面を艶消しにしてしまう。

元来、磁器の焼成は、窯を焼く基本であり、窯焚きの技術の逃避を「亜鉛華添加」で行なおうと考えるのは間違いである。「石灰・亜鉛釉」は、この項で述べたように、バラエティに富んだ釉系であることを活かした思考をすべきであろう。

表25（p.83参照）に、各領域のゼーゲル式と原料の配合比率を示しておく。原料は「石灰釉系色釉」の特徴と同じものを使い、ZnOは工業用亜鉛華を用いた。

郵便はがき

101-8791
001

（受取人）
東京都千代田区神田駿河台三の五

株式会社 **人間と歴史社** 行

料金受取人払

神田局承認

424

差出有効期間
平成13年2月
14日まで

ご住所 〒		
お電話番号　（　　　　）　　－		
お名前	性別　男・女	
	年齢　　　歳	
ご職業	ご購読の新聞・雑誌名	
お買上げ店名　　　　　市　　　　　店 　　　　　　　　　　町	お買上げ月日　年　月　日	

■本書をお買い上げいただき、たいへんありがとうございました。皆さまのご意見を今後の企画に反映させていきたいと思いますので、お手数ですが下記にご記入の上ご投函下さい。(切手は不要です)

●お買い上げいただいた本の書名

◆本書に関するご意見・ご感想をお聞かせ下さい

書籍注文書

書名	数量	単価(税抜)
1		
2		
3		
4		
5		
小計		円
1万円以上お買い上げの場合は、送料を小社負担とさせていただきます 合計(税込)		円+送料

第12章

石灰・バリウム釉系色釉の特徴

　石灰・バリウム釉系は、石灰釉系と同じように、B領域での「艶消し釉」は容易にできるが、「結晶釉領域」と分相に起因する「乳白釉領域」の存在は明確ではない。それに加え、バリウム釉はCa^{2+}よりイオン半径の大きなBa^{2+}が導入されるので、それらの現象に与える影響力は、石灰釉よりさらに大きくなる。

　また、石灰バリウム釉のもう一つの特性として、適正な焼成温度が純粋な石灰釉より低いことがあげられる。このような性質が、生釉のうちで「透明釉領域」がもっとも広いことに結びつくのである。

　かつてはバリウムは、SK6a～SK10（1200℃～1300℃）で焼く「陶磁器の生釉」に用いる習慣はなかったが、戦後になって炭酸バリウムが比較的安く入手できるようになると、石灰釉でのCaOの一部をBaOに置換して、焼成温度をSK6a程度に低くするための原料として重宝に用いられるようになった。

　バリウム（Ba^{2+}）には、どんな特徴があるだろうか。まず、いま述べたように、透明性と光沢性の良いことがあげられるが、同時に「熱膨張を大きくする」ことがあげられ、素地との熱膨張的適合がうまくいかないと「貫入」が生じやすくなる。

　このバリウムの特質は、前章までに述べた「高火度生釉系」の中で、もっとも顕著な影響力がある。もちろん、これらの性質は利害両面あ

って、使い方に工夫が必要になる。

　たとえば「薩摩焼き」のように細かい貫入を一種の装飾技法と考えたときは、Ba^{2+}による熱膨張の増大が効果的に利用できるのである。

　バリウム釉の、そのような特徴を引き立てているのは、前述のとおりBa^{2+}のイオン半径の大きいことによる。Ba^{2+}のイオン半径：1.43Å、石灰釉のCa^{2+}：1.06Å、ドロマイト釉のMg^{2+}：0.78Å、亜鉛釉のZn^{2+}：0.83Åと、それぞれ比較してみるとイオン半径の違いが釉の外観や熱膨張等の物理的性質に深い関係があることが分かる。

　つまり、バリウム釉の透明性は、結晶領域と分相による乳白領域のないCa^{2+}を用いた石灰釉よりもさらに高い。それは、Ba^{2+}のイオン半径の大きいことが、ガラス構造の安定性を助長する効果に裏付けされることであり、その原理に間違いはない。

　そのように考えれば、今まで述べてきた石灰釉系、ドロマイト釉系、亜鉛釉系で用いるアルカリ土類元素の違いが、釉調に大きな影響を及ぼすことが理解できるだろう。とくにBa^{2+}は、アルカリ土類元素の中でも、アトランダム珪酸四面体の連携を押し広げてガラス構造を助長する効果がもっとも大きいことに注目しよう。それはアルカリのK^+：1.33ÅはNa^+：0.98Åより珪酸のガラス化助長効果を高くする挙動と同様である。

　上述のように、バリウム釉は石灰釉と同様にB領域で「艶消し釉」を作ることはできるが、C、D領域とA領域の境界は明確ではない。この点を利用するのが「バリウム釉系色釉」の上手な使い方であると考え、例を提示して説明しよう。

　用いた基礎釉は、

0.3 KNaO ⎫
0.4 CaO   ⎬ $xAl_2O_3・ySiO_2$
0.3 BaO   ⎭

A領域組成：x=0.45　y=4.5
B領域組成：x=0.65　y=3.5
C領域組成：x=0.35　y=3.5

D領域組成：x=0.35　y=5.5

である。それを、これまでと同じように、色々な遷移元素酸化物を少量添加して色付けしてみた。焼成は電気窯でSK10 OF（1300℃酸化焔）とした。酸化焔で焼く理由は、融液中でイオン状態の遷移元素は、荷電数の高い酸化状態の方が、発色が鮮やかで、安定しているからである。

　写真20（p.13口絵参照）を見てみよう。このように全体に透明性が高く、また光沢もよい。最左端は遷移元素無添加であるが、B領域で艶消し状態が見られる。それは石灰釉での灰長石（Anorthite：CaO・Al_2O_3・$2SiO_2$）の析出とともに、細かい偏平なバリウム長石（Celsian：BaO・Al_2O_3・$2SiO_2$）が釉表面に無数に析出し、光の乱反射が起っているからである。

　ここでの試験で、アルカリ土類の導入は、炭酸バリウムとともに石灰石を併用しているので、艶消しとなる釉表面の微細結晶は当然、灰長石とセルジアンの固溶体、あるいは混合体だろう。もちろん、石灰石を併用しない「純バリウム釉」であれば、セルジアンの結晶のみが析出することになる。

　D領域では若干、乳濁しているが、それは加えた珪石が多いので、融液にその全部が解けこむことができず、残留するためである。この試験体では確かに白くは見えるが、釉泥漿の粉砕程度や焼成条件等によって、常に釉調は変化してしまう。仮にこの領域の乳濁釉調が気に入ったとしても、安定して用いることはできないため、避ける方が賢明である。

　色付けしたものを見てみよう。写真最上段はC領域で、ここにバリウム釉の特徴が、よく現れている。つまり、低温で焼成できるとともに透明性や光沢性にも優れているのがよく分かる。

　また、Fe_2O_3の添加では、他の釉系より色が淡く、またCuOの添加

では、もっとも青い色合いの「織部釉」を作るのにバリウム釉が適していることが分かる。

2段目はB領域で、特にFe₂O₃ 12%添加で「艶消し天目釉」となる。Fe₂O₃がAl₂O₃と同じ働きをして、鉄分を固溶したバリウム長石（BaO・(xAl₂O₃・yFe₂O₃・2SiO₂)）や灰長石（CaO・(xAl₂O₃・yFe₂O₃)・2SiO₂)が析出するからである。

CuO添加では「緑味」が強くなった。それはAl³⁺の増加が釉を酸性化して、青色の光の吸収を強くするので、そのために青味が減少して緑味が増加したためである。

3段目は、ごく普通の透明領域、つまりA領域であって、見かけではC領域とあまり変わらないが、高温時の粘稠度はC領域より高く、光沢性は若干劣ることになる。また、この場合もC領域に比較して、Al₂O₃およびSiO₂の増加は融液を酸性側に導くので、Cu²⁺添加で色は緑味になる。

最下段はD領域であるが、ドロマイト釉系や亜鉛釉系のように乳白領域とはならない。つまり、この領域はガラス相－ガラス相間の分相は起こらないからである。けれども、CuO 添加はB領域のような緑味にはならなかった。つまり、Si⁴⁺はCu⁺に与える配位子場の効果がAl³⁺より弱いためである。

このように、バリウム釉の特徴を最大限に活かすには、原料の素性を、よく確かめて配合を考えないと成功しない。これは、なにも「バリウム釉」に限ったことではないが、ここで例をあげて、その手法を説明しておこう。

用いた原料は福島長石、福島珪石、朝鮮カオリン、赤坂石灰石と炭酸バリウムであったが、それを大平長石、陣屋珪砂、陣屋蛙目、鼠石灰石に変えてみた場合、配合は、どのようになるだろうか。ここで用いた各原料は**付表1**（p.1～3参照）に掲げてあるものであるが、説明を容易にするため、**表26**に化学分析値を再記しておく。**表27**は、その鉱

表26 用いた各原料の化学分析値

	SiO₂	Al₂O₃	Fe₂O₃	CaO	MgO	K₂O	Na₂O	Ig.loss	Total
福島長石	66.68	18.56	0.18	0.24	–	10.42	3.48	0.37	99.93
福島珪石	98.62	0.56	0.03	0.39	–	0.05	0.28	–	99.93
朝鮮カオリン	47.97	37.18	0.35	0.41	0.01	0.58	0.28	12.49	99.27
赤坂石灰石	0.21	0.20	0.05	55.21	0.33	–	–	43.96	99.96

表27 各原料の構成鉱物組成

	長石	ドロマイト	石灰石	粘土	珪石
福島長石	90.80%	–	0.43%	3.98%	4.79%
福島珪石	2.72%	–	0.69%	0.12%	96.47%
朝鮮カオリン	5.80%	0.05%	0.71%	91.84%	1.60%
赤坂石灰石	-	–	1.51%	8.01%	0.48%	–

表28 各領域の配合比率

	福島長石	福島珪石	赤坂石灰石	炭酸バリウム	朝鮮カオリン
A領域組成	40.03%	30.28%	9.04%	13.18%	7.47%
B領域組成	43.18%	11.64%	9.75%	14.21%	21.22%
C領域組成	48.05%	23.64%	10.85%	15.81%	1.65%
D領域組成	36.25%	42.39%	8.19%	11.93%	1.24%

（発色遷移元素はFe₂O₃：6%および12%、MnO₂：5%、Cr₂O₃：2%、CoO：1.5%、NiO：2%、CuO：2&%である。）

物組成である。**表28**に各領域の基礎釉の配合比率を示しておく。

　陶磁器釉に遷移元素を導入した場合、釉組成の変化につれて発色・色合いが変わってくる。したがって、常に再現性のよい色釉を作るには、原料の管理が大切であるが、天然原料を使う陶磁器釉では、いつも、そのことがトラブルの原因となる。

　しかし、たとえ原料銘柄が変わっても、同じ外観表現の釉を作らなければならないのが当世の陶磁器生産業界である。では、どうしたらよいか。それには綿密な窯業計算によって、組成の焦点から離れない

ようにすることである。その例を、**表29**のような化学分析値を有する、異なった銘柄の原料に換えて、**表28**と同じ特性となる配合を試みてみよう。

変換する原料の鉱物組成を**表30**に示したが、**表27**のそれとは異なることが分かる。したがって各原料の配合比率は、**表31**のように変わった。つまり、かつての福島長石に比較して、大平長石は花崗岩の風化物を処理したものであるから、珪酸が多いのは当然である。したがって、福島長石を大平長石に変換した場合は、その配合量は多くなる。それにつれて珪石の配合量は少なくなる。

つまり「長石」という銘柄で市販されているものでも、その鉱物組成——すなわち構成鉱物の割合はそれぞれ違うので、銘柄の名前だけで、画一的に使用法を考えるのは危険である。

世にいう「粘土」も同じであって、このような天然鉱物の扱いには、すべて細心の注意を必要とする。けれども、陶磁器は天然原料を用いるのが常であるから、たとえその組成が変動したとしても、即座に結果として現れる製品の収差について、配合上で、あるべき姿に誘導する能力を、製産者はもっていなければならない。

その手法は、良好な配合比のときのゼーゲル式を記録しておいて、原料が変わったときに正確な窯業計算をし、もとのゼーゲル式になるように、配合比率を移動して修正することである。

原料が変われば、完全にもとと同じものになるとはいえないが、ここに挙げた例の程度の原料変動であれば、ほぼ、同じ製品に再現できる。

このようにして**表27**の配合と**表31**の配合は釉として、その出来映えはまったくといってよいほど変わらないものであった。

くどくど述べるようであるが、陶磁器に用いる原料は天然鉱物であるから、その構成鉱物が変化することは当然のことであるという「認識」をもたなければならない。

表29 変換する各原料の化学分析値

	SiO_2	Al_2O_3	Fe_2O_3	CaO	MgO	K_2O	Na_2O	Ig.loss	Total
大平長石	68.31	17.14	0.07	0.85	0.01	9.20	3.56	0.22	99.36
陣屋珪砂	98.12	0.63	0.09	—	—	0.21	—	—	99.05
陣屋蛙目	48.90	33.47	1.10	0.17	0.26	1.50	0.09	13.94	99.43
鼠石灰石	0.40	0.20	0.02	55.05	0.04	0.05	0.20	43.80	99.76

表30 変換する各原料の構成鉱物組成

	長石	ドロマイト	石灰石	粘土	珪石	その他
大平長石	84.18%	—	—	3.38%	10.90%	1.54%
陣屋珪砂	1.22%	—	—	1.03%	97.75%	—
陣屋蛙目	9.80%	—	—	83.79%	5.52%	0.89%
鼠石灰石	0.83%	0.19%	98.98%	—	—	—

表31 変換した原料による各領域の配合比率

	大平長石	陣屋珪砂	鼠石灰石	炭酸バリウム	陣屋蛙目
A領域組成	42.68%	26.88%	8.99%	13.06%	8.39%
B領域組成	45.77%	7.17%	9.64%	14.01%	23.41%
C領域組成	51.34%	20.12%	10.82%	15.72%	2.00%
D領域組成	38.75%	39.72%	8.16%	11.86%	1.51%

（発色遷移元素はFe_2O_3：6%および12%、MnO_2：5%、Cr_2O_3：2%、CoO：1.5%、NiO：2%、CuO：2%である。）

　また、原料の枯渇とともに、今後ますます、多種多様な原料を使わなければならない時代が到来することは間違いないことで、同時に嗜好を満足させる外観とともに、使用目的にかなう機能も要求されることを鑑み、いま述べた原料配合のための操作技術は、これからの陶磁器を作る者にとって必須の技術・知識としなければならないだろう。
　その手法は18章で詳しく述べることにする。

第12章　石灰・バリウム釉系色釉の特徴

第13章
乳白釉のいろいろ

　釉を乳白させるには、二つの方法がある。一つは、釉中に微細な結晶物質を懸濁させる手法であり、もう一つは、組成を工夫して釉そのものの「分相」を利用する方法である。
　まず、微細な結晶物質を懸濁させた乳白釉から説明してみよう。

1——ジルコン乳白釉

　結晶物質の添加によって乳白効果を得る材料に、天然鉱物のジルコン（$ZrO_2 \cdot SiO_2$）がある。ジルコンは釉中で比較的分解されにくく、安定に分散懸濁することができるので、陶磁器の乳白釉を作るとき、容易に使える便利な乳白材とされている。しかし、結晶物質であるため、多量に添加すると釉表面の光沢を損ねることがある。そこが使用についての注意点といえるだろう。
　ジルコンが乳白材になる理由は、無数に懸濁している「ジルコン結晶」と「釉」の間の界面で、光が拡散反射することである。したがって、ジルコン粒子の細かさが、乳白効果に大きく影響することになる。つまり、釉とジルコンでは光の屈折率が異なり、屈折率の高いジルコンの粒子が細かければ細かいほど、光を散乱する量が多くなり、それだけ乳白効果が高まる。

光の波長より細かくなると、光を透過してしまうので、かえって効果が低下することになるが、ジルコン結晶をそこまで細かくするのは不可能に近いことである。よって、陶磁器乳白材としては、いかなる粉砕方法をとっても丹念に粉砕して、細かければ細かいほど良い乳白材になるのである。

　「ジルコン乳白釉」は釉組成の選択も大切である。ジルコンも鉱物の中では酸性酸化物であるから、釉にK^+、Na^+、Ca^{2+}、Ba^{2+}等の塩基性成分の含有量が多いと侵触される。したがって、できるだけ耐侵触の高い釉組成を選択することが大切である。たとえば、塩基性の高い「石灰釉」と酸性の高い「ドロマイト釉」では、後者の方が高い乳白効果を得ることができる。その理由を説明しておこう。

　例として表32に釉配合を示し、表33（次頁参照）にジルコンを外割り8％添加して、SK8 OF（1250℃酸化焔）で焼成したときの乳白効果の違いを示した。素地は弁柄を少量混ぜた黄土色の陶器素地である。

表32　釉組成の違いによるジルコンの乳白効果

塩基性の石灰釉の組成

0.25 KNaO	0.30 Al_2O_3・2.50 SiO_2	三河砂婆	67.20%
		鼠石灰石	26.97%
0.75 CaO		陣屋蛙目	3.80%
		陣屋珪砂	2.03%

酸性のドロマイト釉の組成

0.3 KNaO	0.5 Al_2O_3・5.00 SiO_2	三河砂婆	49.54%
0.2 MgO		大分ドロマイト	11.53%
0.5 CaO		鼠石灰石	3.44%
		陣屋蛙目	12.05%
		陣屋珪砂	23.44%

（いずれも乳白材としてのジルコンを8％外割りで添加した。）

表33　塩基性石灰釉と酸性ドロマイト釉のジルコン添加乳白効果の違い

	Y	Hunter白度	青色白度 (B/1.18)
塩基性石灰釉	25.13	49.95	22.17
酸性ドロマイト釉	58.17	75.95	53.88

　このように「塩基性石灰釉」では、釉中で侵触の少ないジルコンといえども、かなり融解し、釉の透明性が高くなって素地が透けて見えてしまう。それが乳白効果の低い原因である。

　それに対して「酸性ドロマイト釉」の方は、アルミナ分とともに珪酸分の多い組成であり、ジルコンを侵触しにくい釉となる。その結果、ジルコンの乳白効果を強めているのである。

2——ブリストル乳白釉

　ジルコン乳白釉は、釉に融解されにくい結晶鉱物を添加する手法であるが、ほかに、焼成時、釉中に細かい結晶を析出させる方法がある。その例を11章でも述べた「ブリストル釉」とも呼ぶ「石灰・亜鉛釉」で説明しよう。その配合を**表34**に示す。

　そのとき析出する結晶は、釉の組成から推定できるように、微細なガーナイト（$ZnO \cdot Al_2O_3$）である。析出したガーナイトの結晶は**写真21**のように、1μm程度の微細な正八面体結晶である。それが釉中に析出懸濁するのであるから、ジルコン乳白と同じように光が釉中で散乱されて、乳白現象が醸しだされる。

　ガーナイトは亜鉛スピネルであるから、釉配合時にZnOと置換固溶ができる遷移元素を少量加えておくと、特徴のある色乳白釉を作ることができる。

　写真22（p.13口絵参照）はコバルト、ニッケルおよびクロームを添加したブリストル乳白釉であるが、Cr^{3+}はガーナイトのAl^{3+}と、Co^{2+}と

写真21　亜鉛釉中に析出したガーナイト結晶。
　　　　大きさは平均して1.5μm

表34　ブリストル釉の配合

0.17 KNaO		三河砂婆	41.13%
0.23 CaO	0.55 Al₂O₃・2.00 SiO₂	鼠石灰石	7.44%
0.60 ZnO		亜鉛華	15.51%
		陣屋蛙目	35.80%
		陣屋珪砂	0.12%

　Ni^{2+}はZn^{2+}と置換固溶する。そのときCr^{3+}、Co^{2+}、Ni^{2+}は、それぞれ色付け可能な遷移元素として働き、Cr^{3+}で「ピンク」、Co^{2+}で「青」、Ni^{2+}で「萌黄色」を呈する。

　面白いのはCr^{3+}の「ピンク発色」である。普通、酸化クローム（Cr^{3+}）が高い反射を示す波長域は「緑」と「赤」であるが、人間の目には緑を強く感ずるので、通常は「緑色」である。ところがAl^{3+}に

第13章　乳白釉のいろいろ

置換固溶した場合は、それが少量であると、「緑」から「ピンク」に様変わりする。

それを如実に説明する例が、宝石のルビーである。ルビーはコランダム（Al_2O_3）単結晶の中に少量の酸化クローム（Cr_2O_3）が固溶した場合で、そのとき、Al^{3+}より大きなイオン半径をもつCr^{3+}は、コランダム結晶の中に窮屈に押し込められることになるが、そのとき光の吸収波長が短波長側に移行する。その結果、長波長の「赤」の反射が目立ったのである。

クローム少量添加のガーナイト析出釉でピンク色釉ができるのは、ルビーと同じ原理による。この発色原理は、配位場理論の活用であって、それは、陶磁器の発色を思考するときに大切な理論であることを、ここで再度述べておこう。

3——マジョリカ乳白釉

中近東で発見された「ガラス」は、その後、陶磁器釉にも応用されていった。その手法はヨーロッパにも伝わった。まずスペインで開花し、15世紀、イタリアで発展したのが「マジョリカ乳白釉」である。

マジョリカ焼きは、有色の素地に乳白釉を施して器物の外観を白くし、それを利用して加飾彩画する陶器である。その釉は、フリット（陶磁器用ガラス粉）に酸化錫（SnO_2）を添加して乳白効果を醸しだす、比較的低い温度で焼く陶器釉である。乳白釉の組織・構造は、次に述べる分相効果と微細な錫スフェーン（Tin-Sphene：$CaO \cdot SnO_2 \cdot SiO_2$）の結晶が懸濁する相乗効果によっている。

また、高火度釉でも酸化錫を添加することによって、容易に「錫添加乳白釉」を作ることができる。この乳白釉も「ブリストル乳白釉」と同じように、遷移元素を添加するとパステル調の色釉ができるが、例として表35にクローム添加臙脂色釉を示しておく。これもブリト

ル色釉と同じように、錫スフェーンに少量のクロームが固溶するため、パステル調の臙脂色釉となるのである。

表35 クローム、錫添加臙脂色釉

0.2 KNaO	⎫	0.3Al₂O₃・3.0 SiO₂	三河砂婆	49.15%
0.8 CaO	⎭		鼠石灰石	26.30%
		+	陣屋蛙目	3.83%
		Cr₂O₃ 0.5%、SnO₂ 6%	陣屋珪砂	20.72%
			酸化クロム 外割り	0.50%
			酸化錫 外割り	6.00%
			酸化錫 外割り	6.00%

4 ── 分相を利用した乳白釉

　東洋で発展した釉は「灰釉」であるが、釉・発祥の頃は、「透明釉」が多かった。鉄を少量含んだ「黄瀬戸釉」も透明釉といえるだろう。ところが米を主食とする日本では、藁の灰、特に「籾灰」を木灰の代わりに用いたとき、釉が乳白することを見いだしたのである。たとえば、黄瀬戸釉を施し、その上に「藁灰」を混ぜた釉を上がけすると、海鼠調の外観を得ることができる。これが藁灰を用いた「乳白釉」の発見であった。

　実際に「土灰」と呼ばれるものと、藁灰の化学分析値を**表36**（次頁参照）に示して比較してみる。同じ植物の灰であっても、かなり違いのあることが分かるだろう。つまり、植物の種類による栄養の取り込み方の違いが、如実に灰の成分に現れているのである。

表36 土灰と藁灰の化学分析値

	SiO₂	Al₂O₃	Fe₂O₃	P₂O₅	MgO	CaO	K₂O	Na₂O	Ig.loss	Total
土灰	14.18	3.67	1.94	2.14	5.44	35.90	1.49	0.55	34.32	99.53
藁灰	50.94	0.51	0.52	0.19	0.29	2.30	1.99	0.61	42.46	99.95

「土灰」が35.9%のCaOと、5.44%のMgOを含むということは、灼熱原料の34.32%とあわせて推定すれば、その主成分は「塩基性炭酸カルシウム」と少量の「塩基性炭酸マグネシウム」であると思われる。また、養分として取り込んだK⁺やNa⁺が含まれている。

特に注目するのはP₂O₅が2.14%も含まれていることで、それが乳白を助長する成分となる。

次に「藁灰」を見てみよう。藁灰はCaOもP₂O₅も少ない。それに比して、SiO₂が、なんと50.94%もある。これも乳白釉を醸しだす特徴成分である。

では、このような材料を用いた釉は、どうして乳白現象を起こすのだろうか。それにも釉の組織・構造が関係する。このような釉は、ガラス相とガラス相の「二相分離」が起こりやすく、そのことが乳白の原因となる。この分相がどうして起こるか、また、なぜ乳白するかの原理を理解しておくと、「乳白釉」や「海鼠釉」を思いどおりに扱うことができて、陶芸やクラフト陶磁器を扱う人は、よく心得ておくと装飾応用として重宝である。

「分相」とは何か、また「乳白のメカニズム」を説明する好適なものに、牛乳がある。牛乳は白く乳白した液体であるが、それは「水」という液体に「脂肪」や「タンパク質」を含むもう一つの液体が懸濁していて、それが牛乳の白い原因である。これを「エマルジョン」という。

エマルジョンになる仕組みは、水より比重や表面張力の大きい液体が水の中に混ざっているとき、微細な粒子として「分散懸濁」するこ

とである。そのとき、粒子の大きさは光を散乱させるにちょうどよい1μm程度であるため、乳白するのである。その粒子は常温でもブラウン運動を起こして常に振動しているので、牛乳は静置しておいても沈降せず、全体の乳白現象を常に保つことができるのである。

陶磁器釉の分相による乳白現象も、牛乳と同じように考えることができる。牛乳の液体に対して、乳白釉は「固化した液体」ということだけが、違いといえるだろう。

さてここで、なぜ、土灰や藁灰を用いた釉は乳白するのかを説明しておこう。写真23（p.14～15口絵参照）の (a) は、「石灰・マグネシア系釉」で塩基性成分を一定にして、Al_2O_3とSiO_2の分子比を変えた場合、釉の外観がどのように変わるかを表わした写真である。

写真を見て分かるように、左下の部分に乳白現象が見られるが、その乳白を醸しだすのが「分相」である。Al_2O_3が少なくてSiO_2の多い部分に分相現象が起こるのである。つまり、SiO_2の多い「藁灰」は、「乳白釉」を作るに好適な材料であった。

写真を見ると、SiO_2の効果とは逆に、Al_2O_3は乳白を阻害していることが分かる。いいかえれば、「透明光沢釉」として安定にするためには、Al_2O_3が必要不可欠の成分ということになる。土灰に含まれる燐酸分（P_2O_5）は酸性成分であって、SiO_2による乳白効果を助長する乳白促進材となる。このことが、土灰も藁灰とともに、乳白釉を作るに適した材料と昔から伝えられてきたゆえんである。

また、土灰はMgOを含むことが普通で、それが分相乳白を容易にしている。つまり、「石灰釉系」、「石灰バリウム釉系」では、乳白材を故意に添加しなければ分相させることができないが、乳白材を添加せずに分相が可能な釉系は、「石灰・マグネシア釉系（ドロマイト釉系）」と「石灰・亜鉛釉系」である。

とはいえ、「乳白釉」は土灰や藁灰を用いなければできないかといえば、そうでもない。写真の (b) を見てみよう。これは「石灰・マ

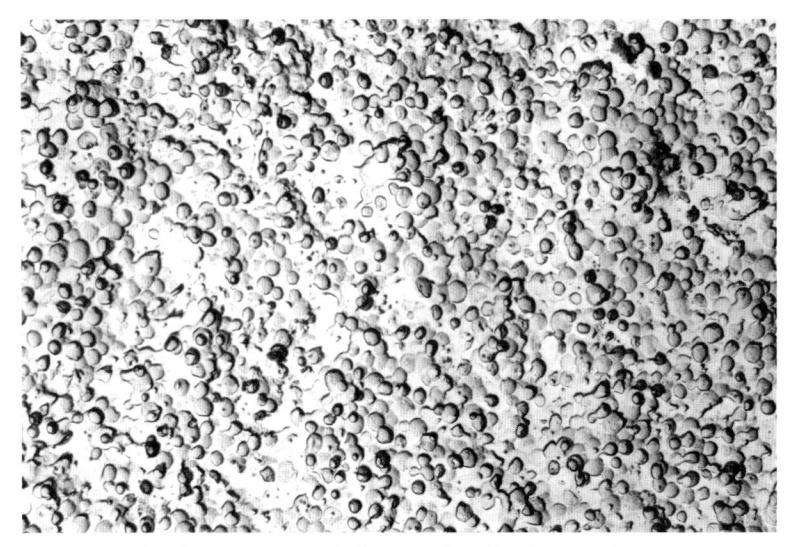

写真24　日本の代表的な藁灰乳白釉の分相微組織。大きさは約0.2μm

グネシア釉系」に骨灰（$CaO \cdot P_2O_5$）を添加したものであるが、ただでさえ分相を起こす釉系に、骨灰添加としてP_2O_5を導入すると、乳白を起こす領域が広くなることが分かるだろう。つまり、骨灰のP_2O_5含有量は、土灰より多いので、より効果的な乳白効果を求めることができるのである。

このように考えると、土灰や藁灰を用いない「石灰釉」でも、SiO_2/Al_2O_3比を通常の透明釉より大きめにして骨灰を添加すれば、容易に乳白釉を作ることができる。

写真23の（c）は、骨灰の代わりに酸化チタン（TiO_2）を添加したものである。酸化チタンは酸化錫と同じように分相と微細なスフェーン（Sphene：$CaO \cdot TiO_2 \cdot SiO_2$）結晶を析出・懸濁させることができるため、釉を乳白させるのである。

写真24は、明治時代の陶芸家・加藤春岱作といわれる海鼠釉の組織である。おそらく媒熔原料に土灰と藁灰を用いたことであろう。そ

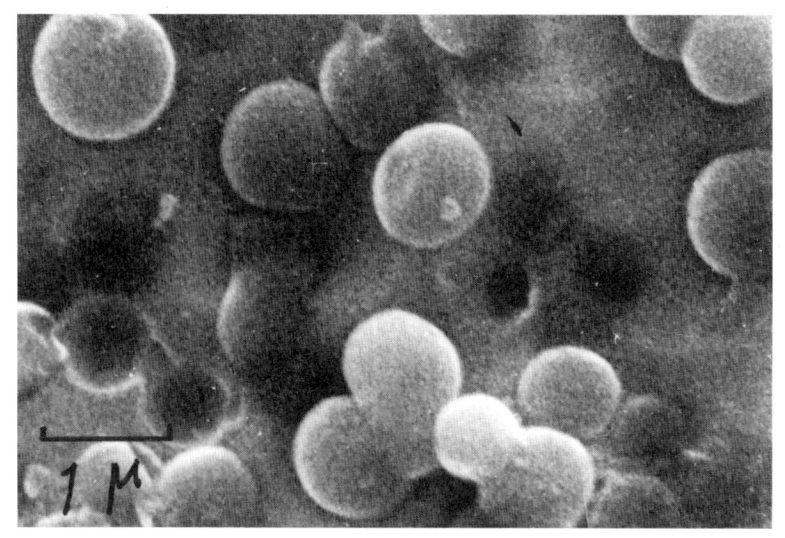

写真25 低火度釉（フリット釉）等にみられる分相組織。大きさは約1μm

の破片を電子顕微鏡で覗いてみると、0.1μmほどの丸い粒子が無数に分散していることが分かる。これは「高珪酸質ガラス相」であって、それが光を拡散反射させているのである。

釉全体をフリットにした「低火度釉」でも、「分相性乳白釉」を作ることができる。**写真25**は、「低火度乳白釉」の例であるが、このときの分相粒子は高火度釉の分相粒子に比較して10倍ほど大きい。二相間の光屈折率の差が大きいので、強い乳白効果を得ることができる。配合を**表37**に示したが、このように鉛を多く用いるので、食器等の釉として使うことはできない。

表37 低火度分相釉

$1.3 PbO \cdot 0.9 B_2O_3 \cdot 2SiO_2$	鉛丹 （Pb_3O_4）	74.58%
	硼酸 （$B_2O_3 \cdot 3H_2O$）	9.32%
	韓国珪石 （SiO_2）	16.10%

第13章 乳白釉のいろいろ

第14章
織部釉のいろいろ

「織部焼」は、茶人であった古田織部が考案した陶器であって、当初は「鉄」を加飾材に用いた、いわゆる「鉄織部（黒織部）」であったと推察される。しかし彼の作品にも変遷があり、やがて銅を発色材とした緑色の「高火度釉」を好んで用いるようになった。以後、そのような作品が彼の特徴とされ、「織部焼」と呼ばれるようになった。

そのころの瀬戸や美濃で作られた織部焼を見ると、全面が緑色の光沢釉で覆われたものは少なく、土質の素地の上に弁柄で彩画して透明な灰釉を施し、部分的に緑色の釉をあしらったものが多い。けれども織部焼の特色が、この「緑色をした釉」にあったので、後になって灰釉（石灰釉）に銅（Cu^{2+}）を添加した緑色釉を、俗に「織部釉」と呼ぶ習慣ができた。

古田織部の考案した焼き物はこのようなものであったが、織部釉でも組成の工夫によって、さまざまな色表現を楽しむことができる。一般に、織部釉といえば、渋く深緑の釉が好まれるようである。当世でも、このような伝統技法に固執した作品を陶磁器の心髄とする風潮があるが、現代人の嗜好に応じて鮮やかな緑、さらには、より青い織部釉も技法の中に取り入れられてきている。

当世では、このような科学的に斬新な技術を導入することも、決して邪道とはいえないだろう。むしろ新感覚を問うべき、自身の感性を

世にアピールすることも、現代陶業人の務めではないだろうか。そのためには、試行錯誤の結果として生み出されたものだけで、満足するべきではない。その本質を知って、正しく製品表現に打ち込んでこそ、自分の意志を人に伝える芸術的主張となるのではなかろうか。

　現代でも、織部釉は花器、茶器、食器等に広く用いられ、市場に出回っているが、「製造物責任法」が執行されている今では、ユーザーの嗜好とその使途に応じた機能・安全性にも配慮した製品でなければ、結局は庶民に愛用されるものとはならない。したがって、いかなるものが、真に「焼き物」としての価値を発揮しているか、陶芸人には、それを見きわめる知識と判断力が大切であるとする認識がなくてはならない。つまり、もはや造形と加飾のみに重点を置く時代ではなくなったということである。

　一般に「織部釉」は、焼き上がった直後は表面に虹彩さえ起こすような薄膜が生ずることがある。その場合、薄い塩酸で処理して取り除かれるが、この現象は釉の化学的耐久性が劣っている証拠でもあり、いろいろな製品クレームの起こる危惧がある。そのようなことも、心にとめなければならない時世である。

　陶磁器の使途は、嗜好を満たす外観だけではないことを、くどくどと述べたが、特に感受性の高い日本人社会の商品としては、「わび・さび」的な嗜好を重視することも大切であるには違いない。適切な例ではないが、たとえばカレーライスを皿に盛るとき、黄瀬戸釉の皿ならまだしも、全面、織部釉の皿に盛り付けしたものを、美味しい感覚で食べられるだろうか。日本においては古田織部や北大路魯山人のような茶人、料理人の先駆者が、厨房用陶磁器文化を築きあげてきた。ゆえに織部釉も、品種別に、その趣向を凝らした扱いが求められるのである。そのことは日本人の食生活において、味とともに雰囲気や視覚感覚を重んずる気質からくるのであろう。

　さて、**写真26**（p.15口絵参照）を見ることにしよう。このように、織

表38　釉の組成

a）石灰・マグネシア釉

0.38 KNaO			三河砂婆	69.35%
0.25 CaO	0.43 Al$_2$O$_3$	4.50 SiO$_2$	桃色タルク	6.60%
0.37 MgO			大分ドロマイト	9.25%
	+CuO 3%		陣屋蛙目	2.03%
			陣屋珪砂	12.77%
			酸化銅　外割り	3%

b）石灰釉

0.3 KNaO			大平長石	45.56%
	0.45 Al$_2$O$_3$	4.50 SiO$_2$	鼠石灰石	16.79%
0.7 CaO			陣屋蛙目	8.95%
	+CuO 3%		陣屋珪砂	28.70%
			酸化銅　外割り	3%

c）石灰・バリウム釉

0.3K NaO			大平長石	52.96%
0.2 CaO	0.35 Al$_2$O$_3$・3.00 SiO$_2$		鼠石灰石	5.58%
0.5 BaO			炭酸バリウム	27.02%
	+CuO 3%		陣屋蛙目	2.06%
			陣屋珪砂	12.38%
			酸化銅　外割り	3%

表39　各釉の線熱膨張係数

（線熱膨張係数）	
石灰・マグネシア釉	6.07×10^{-6}/℃
石灰釉	5.78×10^{-6}/℃
石灰・バリウム釉	8.00×10^{-6}/℃

部釉といっても種々の色表現を行使させることができ、そのためには釉組成がもっとも大きな因子となる。左は基礎釉として石灰・マグネシア釉を用いており、中は石灰釉、右は石灰・バリウム釉である。それらに酸化銅（CuO）を加飾材として、それぞれ3%加えてみた。そのゼーゲル式と原料配合を**表38**に示す。また素地は**表41**（p.110参照）

に示すようなものを用いた。焼成は電気窯でSK8 OF（1250℃酸化焔）で焼いた。

　このように、高火度の酸化焔焼成で焼く織部釉も、その基礎釉の組成によって青い色から緑色まで変化することがわかる。それは量子論を発展させた「配位子場理論」で解ける。その原理を分かりやすく解説するのは大変難しいことであるが、大略、次のようである。

　Cu^{2+}原子は第一遷移元素の一つであって、そのイオンの電子配置はd軌道に9個の電子をもっている。d軌道は普通10個の電子をもつことができるがCu^{2+}は1個足りない。つまり、もっとも高いエネルギーレベルの軌道が空いている。そのようなとき、光エネルギーが到達すると、それによって低いエネルギーレベルに存在していた1個の電子が高いエネルギーレベルに励起される。そのときに必要なエネルギーが、光の吸収によってまかなわれるのである。

　色が付くのは、以上のような理由であるが、「色合いが違う」ということはどのようなことか、それを考えてみよう。

　励起に必要な光エネルギーの大きさは、Cu^{2+}を囲むO^{2-}の配位状態によって変わる。4個の酸素で囲む場合と6個で囲む場合で異なり、またO^{2-}の次に配位するNa^+、K^+やMg^{2+}、Ca^{2+}、Ba^{2+}などのカチオン種類によって違うのである。

　つまり四配位より六配位の方が大きく、カチオンの種類では荷電数が高いほど、またイオン半径が小さいほど、大きい。配位子場が強ければ「緑味」に、弱ければ「青味」になる。

　その配位子場理論によって写真に掲げた織部釉の色を考察してみると、発色の具合をうまく説明することができる。具体的にもっとも青い色をしているのは「石灰・バリウム織部釉」であり、中間は「石灰織部釉」、もっとも緑色は「石灰・マグネシア織部釉」である。「色表示」には色々なものがあるが、これらの試験品を**表40**（次頁参照）のマンセル表示のH/V/Cで見てみよう。

表40　各織部釉の色表示

	X	Y	Z	D.W.	Pe	L	a	b	H/V/C
石灰・マグネシア釉	10.39	11.78	11.59	547.3	0.5	34.3	−6.0	4.0	0.7G/3.9/1.8
石灰釉	8.94	10.47	10.58	526.9	6.5	32.6	−7.3	3.3	3.2G/3.8/2.2
石灰・バリウム釉	10.83	13.08	14.56	501.2	9	36.2	−9.8	1.5	9.3G/4.2/2.7

表41　用いた素地

ゼーゲル式：0.243 KNaO・Al$_2$O$_3$・5.283 SiO$_2$

配合：天草陶石 50％、福島長石 18％、朝鮮カオリン 12％、本山蛙目 20％

線熱膨張係数：5.04×10^{-6}/℃

　石灰・バリウム織部釉は、Hが0.7G、石灰織部釉は3.2G、石灰・マグネシア織部釉は9.3Gで、この場合、Gは「緑色」を表わし、数が小さいとBG、つまり「青緑」に近づく。反対に数が大きくなると、GY、つまり「黄緑」となる。

　このように、釉組成の違いがCu^{2+}の電子励起の強さに影響を及ぼし、それが色の変化につながるのである。顕著な証拠は釉のうち、もっとも配位子場エネルギーの弱い「トルコ青軟化釉」である。

　最近の消費者は、織部釉に対する好みも変わってきており、ここで述べた青い織部焼きも要求されるようになった。つまり、石灰・バリウム織部焼きのようなものである。これは、釉の熱膨張が大きくなるので、貫入発生の危惧は従来の織部より高くなる。

　元来、織部焼の釉は、土質の素地に施すので、貫入が起こりやすいものであるが、写真の試験品では**表41**に示すように、素地が「磁器質」であって、その線熱膨張は5.04×10^{-6}/℃であった。貫入は素地と釉との熱膨張の関係が大きく影響するが、**表39**（p.108参照）のように石灰・バリウム織部釉では8.00×10^{-6}/℃で、素地より大きく、その差も大きいので、貫入が発生している。

　石灰織部釉では5.79×10^{-6}/℃であり、素地の5.04×10^{-6}/℃と大き

な差はなく、したがって貫入の発生はない。石灰・マグネシア織部釉は6.07×10^{-6}/℃であるが、貫入は発生していない。それは、釉組成のMg^{2+}の性質によるのである。アトランダム構造の珪酸四面体よりなる釉のような、ガラス構造を引き締める役を果たしているので、釉の靱性を高めて貫入を生じにくくしているのである。

第15章
鉄釉のいろいろ

　人類は、石を素材に道具を発明して、文明社会の黎明期を迎えた。そのなかに焼き物も含まれるが、人工の最初の素材は「銅」であった。その銅は、陶磁器の加飾材料としても太古から用いられた。現在でも、「織部釉」、「紅釉（辰砂釉）」、「釉裏紅」などがある。

　次の文明素材は「鉄」であったが、陶磁器の加飾材としても、いち早く用いられ、「鉄天目釉」、「引出し黒釉」、「黄瀬戸釉」、「伊羅保釉」、「柿天目釉」と、数え切れないほどの釉を生むことになる。このように、鉄は陶磁器の加飾材料として、頂点の地位を、揺るぎないものにしてきた。

　鉄釉の代表的なものは3章で述べた「天目釉」であるが、今回は「高火度釉」について、組成とともに発色の様子が変わる理屈を説明することにしよう。

　栃木県益子は鉄釉を好んで用いる陶業地であるが、土物素地の産物に、天目釉はよく適合する。当地では、天目釉のなかでも赤黒い色合いより、漆黒の柚子肌調が消費者に好まれ、よく売れるといわれる。

　一般に、天目釉は茶褐色に焦げた縁になりやすいが、それも、鉄を多く含む天目釉の特徴の一つである。その理由は、縁は釉層が薄いので、素地からのAl^{3+}の拡散による影響が現れやすく、そのために色変化を起こすのである。

光沢表面の天目釉も、栗色もあれば墨のような黒いものもある。たとえ同量の鉄分を加えたとしても、このような色調の変化は、釉の組成と焼成の仕方に支配されることを経験を積み重ねた陶業家はよく知っている。けれども、その理屈を知って自身の精魂を注いだ製品は、消費者の描く価値観に大きな感銘を与えることになるだろう。

　遷移元素の代表的存在である鉄には、Fe^{2+}とFe^{3+}とがある。陶磁器の場合、化合する相手の元素は酸素O^{2-}であるが、その配位酸素が鉄元素に与える影響を操作することにより、醸しだされる色合いも操作できる。

　色合いの移動の背景はそれだけではない。発色元素を中心にして配位酸素、さらに、その次に配位するK^+やNa^+のようなアルカリ元素や、Mg^{2+}、Ca^{2+}やBa^{2+}のようなアルカリ土類元素の違いが、鉄に関与する配位酸素の力に影響を及ぼし、結果として、鉄の色合いに変化をもたらすのである。それが「組成」によって、さまざまな天目釉を創作できる理由である。その理屈はすでに何度も述べた「配位子場理論」である。

　日本で馴染まれている淡い黄橙色の「黄瀬戸釉」は、鉄分の含有量が5％以下と比較的少量であって、酸化焔で焼成した「灰釉」である。漸次、含有量を増していくと発色が濃くなり、ついには「赤天目釉」となる。しかし、色合いの変化は、弁柄（酸化鉄：Fe_2O_3）の含有量だけではなく、釉を構成する成分から多大な影響を受けている。

　アルカリ土類元素を、塩基性の強い順に並べてみると、Ru^{2+}（1.52Å）、Ba^{2+}（1.43Å）、Sr^{2+}（1.27Å）、Ca^{2+}（1.06Å）、Mg^{2+}（0.78Å）、Be^{2+}（0.34Å）となるが、それが鉄釉の色の濃さや色合いに、どんな関係があるだろうか。

　アルカリ土類元素は、すべて＋2価カチオンであるが、カッコの中に示したように、イオンの大きさに違いがある。もっとも大きなRu^{2+}のイオン半径1.52Åは、もっとも小さいBe^{2+}の0.34Åの4.5倍であ

る。

　アルカリ元素においても同様に、Cs$^+$（1.65Å）、Rb$^+$（1.49Å）、K$^+$（1.33Å）、Na$^+$（0.98Å）、Li$^+$（0.78Å）のように異なり、そのような「荷電価の違い」と「イオンの大きさ」が、釉の色合いと釉調に直接、影響を及ぼすのである。

　鉄のFe^{2+}とFe^{3+}の平衡関係は、酸化焔焼成と還元焔焼成で簡単に移動し、そのことが色合いと釉調を豹変させることは周知のとおりである。その原理を探ってみよう。

　青インクで書いた文字は、永い時間が経つと黒くなる。それは、フエロシアンブルーのFe^{2+}⇄Fe^{3+}の平衡関係が、空気中の酸素によって酸化され、Fe^{2+}＞Fe^{3+}よりFe^{2+}＜Fe^{3+}の方向に移行するからである。同じことが陶磁器の釉の中でも起こる。

　酸化鉄を2%程度含む「石灰釉」を施した磁器を、還元焔で焼くと、ほとんどの鉄分は還元されてFe^{2+}となり、そのときの鉄の発色は周知のように「青磁」である。酸化焔焼成では、そのほとんどが酸化されてFe^{3+}となるが、そのときは「淡い黄色」となる。

　焼成管理が大変難しいが、酸化鉄を5%ほど添加して、還元性を微妙に調整し、Fe^{2+}の割合を15%程度にしたとき、黒インキのような漆黒の釉にすることができる。それは鉄釉でしかできない不思議な現象である。

　通常の天目釉のように、鉄分が10%程度と多くなると、たとえ酸化焔焼成であっても、全部の鉄をFe^{3+}にすることはできず、必ずFe^{2+}が存在する。その量は、ここでもアルカリ土類元素の種類によって変わるのである。その様子を、写真を示して説明しよう。

　写真27左端（p.16口絵参照）は「タルク釉」、順に「石灰・タルク釉」、「石灰釉」、右端は「石灰・バリウム釉」であるが、用いた原料は14章の「織部釉」の場合と同じなので、**付表1**（p.1〜3参照）を参照されたい。各釉の組成と配合を**表42**に示す。

表42 用いた基礎釉：弁柄をおのおの外割10%添加

a) タルク釉

0.5K NaO	0.55 Al$_2$O$_3$・5.0 SiO$_2$	大平長石	75.8%
0.5 MgO		桃色タルク	14.4%
		陣屋蛙目	0.6%
	+Fe$_2$O$_3$ 10%	陣屋珪砂	9.2%
		弁柄　外割り	10%

（線熱膨張係数：6.259×10^{-6}／℃）

b) 石灰・マグネシア釉

0.38 KNaO	0.43 Al$_2$O$_3$・4.50 SiO$_2$	三河砂婆	69.35%
0.25 CaO		桃色タルク	6.60%
0.37 MgO		大分ドロマイト	9.25%
	+Fe$_2$O$_3$ 10%	陣屋蛙目	2.03%
		陣屋珪砂	12.77%
		弁柄　外割り	10%

（線熱膨張係数：6.067×10^{-6}／℃）

c) 石灰釉

0.3 KNaO	0.45 Al$_2$O$_3$・4.5 SiO$_2$	大平長石	45.56%
0.7 CaO		鼠石灰石	16.79%
		陣屋蛙目	8.95%
	+Fe$_2$O$_3$ 10%	陣屋珪砂	28.70%
		弁柄　外割り	10%

（線熱膨張係数：5.781×10^{-6}／℃）

d) 石灰・バリウム釉

0.3 KNaO	0.35 Al$_2$O$_3$・3.0 SiO$_2$	三河砂婆	62.5%
0.2 CaO		鼠石灰石	5.6%
0.5 BaO		炭酸バリウム	27.0%
	+Fe$_2$O$_3$	陣屋蛙目	2.7%
		陣屋珪砂	2.9%
		弁柄　外割り	10%

（線熱膨張係数：8.00×10^{-6}／℃）

最左端はタルク釉に弁柄（酸化鉄：Fe_2O_3）を外割り10％添加して、SK8 OF（1250℃酸化焰）で焼成した。この場合、タルクの主要成分であるMg^{2+}が、釉の特徴と色合いを支配しているのである。つまり、Mg^{2+}は釉中でイオン半径の小さいことによって、Ca^{2+}やBa^{2+}より原子集団（Classter）を作りやすく、結晶化も容易である。したがって、表面を艶消し状態にする。

　また、Mg^{2+}のイオン半径は0.78Åでイオン半径がFe^{2+}に近い関係上、たとえ酸化焰焼成で焼いても、Fe^{3+}：0.67Åを還元してFe^{2+}：0.87Åの存在量を多くする。そのことはすでに述べているように$Fe^{2+}\rightleftarrows Fe^{3+}$の関係で色を黒くするのである。

　写真の最右端は「石灰・バリウム釉」で、10％と同量の弁柄が加えられているが、淡黄褐色で根本的に鉄の発色性が違う。

　中の二つは、それぞれ両端に近い組成であるので、発色も、その組成と関連づけて考えることができる。

　このように並べて見てみると、アルカリ土類の塩基性の高いBa^{2+}からCa^{2+}、Mg^{2+}になるにつれて色が濃くなることが理解できるが、その理由を説明しておかなければならない。

　一つはFe^{2+}とFe^{3+}との割合である。前述のように加えられた10％のFe_2O_3のうち、左端の「石灰・バリウム釉」ではFe^{2+}の割合が約5％程度であるが、左から二つ目の「石灰・タルク釉」では15％程度である。このFe^{2+}の割合の多いことが、色を濃く、また黒くする最大の要因である。

　次に、釉の組成は色の濃さだけでなく、微妙に「色合い」にも影響する。そこで、中の二つについて調べてみよう。色の濃さは二つとも、ほぼ同じであるが、注意して見てみると、左は「青黒」であるが右は「赤黒」であることが分かる。

　このような違いを上手に使い分けることによって、同じ天目釉でも微妙な色合いの違いを意図的に操作することができ、製品の中に人知

表43　各天目釉の色表示

	X	Y	Z	D.W.	Pe	L	a	b	HV/C
タルク釉	15.27	15.29	18.03	-495.9	1.5	39.10	1.3	0.1	7.1RP 4.46/0.4
石灰・マグネシア釉	5.50	5.73	6.96	488.5	2.9	23.93	-0.8	-0.5	8.9BG 2.80/0.3
石灰釉	4.18	4.31	5.08	498.1	0.7	20.75	-0.4	0.1	0.3BG 2.41/0.1
石灰・バリウム釉	12.30	11.80	6.60	581.6	42.5	34.35	3.8	12.7	0.3Y 3.97/3.3

れぬ妙味が醸しだされるのである。たとえば、石灰・マグネシア釉系の黄瀬戸釉は「緑味黄」であるが、石灰・バリウム釉系の黄瀬戸釉では「橙味黄」となるような使い分けができる。

　それらの色表示を表43に示したが、それをマンセル表示のHV/Cで、さらに詳しく識別してみる。Hは色相で、その色合いを表わす。Vは明度、彩度Cは色合いの鮮やかさを示すものである。

　「タルク天目釉」では、その色相のHが 7.1RPで、紫に近い赤色を指している。一方、明度Vは4.46と暗く、彩度Cは 0.1と非常に低い。これは、真黒ではなく赤紫味の黒であるという意味である。

　「石灰・バリウム天目釉」では、色相が0.3Yであるから黄色である。しかし明度は低く、彩度も低いので、鮮やかな黄色とはならない。

　中の二つを見てみよう。明度、彩度とも低いので、ともに「黒い」のであるが、微妙な色合いの違いが色相に表われている。つまり、石灰・タルク天目釉では8.9BG、石灰天目釉では0.3BGで、双方ともブルーグリーンを意味するBGではあるが、前者の8.9BGはグリーンに近く、後者の0.3BGはブルーに近いことを意味している。

　このように、いちがいに「天目釉」といっても、その組成を加減することによって、色々な表情をもった天目釉を自身の発想のもとに作れることが理解できたと思う。その操作法はアルカリとしてのK^+とNa^+でも変えることができ、Al_2O_3とSiO_2の量および比率も、大きな影響のあることを知っておこう。

第16章
燿変天目釉をめざして

　中国の南宋時代、健窯で「天目茶碗」が作られたが、それらの中に、内側に小豆粒ほどの黒褐色の核を中心に、青白い暈のかかった模様を散りばめたものがあった。それが「燿変天目茶碗」と呼ばれるもので、今では日本に3個しかなく、国宝に指定されている。
　燿変天目茶碗を創作した中国では、保管されたものがないので、人心もあまり気に止めていないようであるが、日本では、自然が創りだす奇遇ともいえる神秘性と、その再現することの困難さに強い魅力があり、燿変天目茶碗の再現は、陶芸を志す人の願望の的となった。
　したがって多くの陶芸家が、燿変天目茶碗の模作に挑戦してきたのであるが、いまだ完全な成功例はみられない。それほど模倣が困難な焼き物であるには違いないが、現物が存在するのであるから、再現は困難であっても不可能では決してないはずである。
　著者も、静嘉堂文庫美術館におもむき、比類のない名器といわれる燿変天目茶碗をつくづく眺めて、その気品のある造形と、見事なパターンに感銘した。そこで、陶磁器技術者の立場から、どのようなプロセスを経ると燿変天目釉になるのか、自らの思案のもとに実験を重ね、その経験から、燿変天目茶碗が製作されたプロセスを推定してみようと思う。
　静嘉堂文庫美術館に保存されている燿変天目茶碗は、腰がすぼみ、

口辺がひねり返されているその造形は、俗にいう「天目茶碗」そのものである。

　特徴は、前述のように見事というべき「パターン」にある。また、茶碗の内面しか紋様がないのは何を意味するのか、それも興味深い。施釉する前に、内面に向けて何かを振りかけたようにも思える。同心円のように散らばっているのは「ろくろ」を用いたからではなかろうか。釉中の鉄分は、比較的少量と思われるが、還元焔で焼いているため、釉の色は黒い。したがって暈の青白さが目立つのである。素地は土質であろう。釉は灰釉であると思われる。謎であるのは、核ができた理由と、その成分が釉中に拡散して暈模様を作るメカニズムである。

　燿変天目釉のパターンは、「油滴天目釉」に通ずるものがある。油滴天目釉は、焼成中に酸化鉄の還元などで発生したガスの飛散痕が凹みとなり、その表面に四三酸化鉄（Fe_3O_4）の皮膜ができて、黒銀光を放つものである。釉組成にMg^{2+}が存在していると、油滴パターンを作る条件が得られやすい。それは、Mg^{2+}が鉄をFe^{2+}に誘導しやすく、凹みにFe_3O_4などを含む皮膜ができやすくなるからである。また、高温時の融液の粘稠度を高くするため、発泡痕の凹みも保持しやすい。

　焼成については、鉄分をFe_3O_4の状態に保持するために、還元焔焼成がよい。また、できるだけ冷却は速やかである方が成功する。つまり、焼成を終了した後は、窯の中に空気が進入するので、釉表面はふたたび酸化雰囲気に曝され、表面近くの鉄はFe^{3+}の方向に移行して、色を褐色の方向に導くことになる。したがって、Fe^{2+}をできるだけ凍結してしまうために、なるべく速やかに冷却した方がよいことになる。

　鉄の含有量が少なく、凹みの融液皮膜の厚さが可視光の波長に匹敵する程度であれば、光の干渉現象で虹彩を放つようになる。燿変天目茶碗も虹彩となる薄い皮膜があるようにも思われる。しかし、青白い暈の感じは別の現象であろう。著者が長年、試行錯誤の実験を続けてきたのは、その暈の形成と、発色の原因を探ることにあった。

燿変天目釉のパターンも、油滴天目釉のパターンも、似かよった点がある。このことから技術的連携を考えると、燿変天目釉の中心核は、釉が融液化する時点でガスの発生があって、その痕が凹みとなって残った現象ともとれる。それでもなお、燿変模様が見られるのは内側のみであることが、どうしても気になった。それはたとえ、気泡発生があったとしても、斑紋を作るための作意的操作が内側に施されたものと思えてならない。

　静嘉堂文庫美術館保蔵のものは、外側にも斑紋が若干見られるが、自然に発生した泡の痕と決めつけてしまうには、いま述べたように、いささか躊躇するものがある。つまり、油滴天目のような自然の泡の痕であれば、丸くなりやすく、また外側にも同じようにできると考えられるからである。このことは、燿変天目釉と油滴天目釉との間に製造プロセスの違いを感じさせる。

　いずれにしても、核の周りに青白い暈模様ができるのが燿変天目釉の特徴であるから、その暈の現象解明が、燿変天目茶碗の謎を解く鍵となることに疑いはない。

　天目茶碗が製作されたころの中国では「灰釉」を用いていたが、往々にして組成中にMg^{2+}が含まれることがある。そのような釉を「石灰・マグネシア釉」と呼ぼう。これは、Si^{4+}が比較的多くてAl^{3+}が少ないとき、塩基性の高い融液相と高珪酸質の融液相に分離する。その現象を「釉が分相した」という。

　分相は、釉の組成に大きく影響され、いま述べたように、SiO_2／Al_2O_3の分子比が適切でなければならない。また、釉系の選択も大切である。古来から、東洋で用いられたMg^{2+}イオンのない「灰釉」や、純粋な「石灰釉」では分相することはない。分相の容易な釉系は「石灰・マグネシア釉」であるが、それが分相したとき、「高珪酸質融液相」は「塩基性融液相」より表面張力が大きいので、$0.1\mu m \sim 1\mu m$の球形の分相粒が形成される。その粒子は、他方の融液相より屈折率

が高いので、界面で光が散乱して乳白感が得られるのである。そのとき、燐酸（P_2O_5）やチタニア（TiO_2）が存在していると、分相が助長されて乳白感が増強される。それらの添加は通常、分相しない石灰釉でさえも、乳白させることができるのである。

　そのような現象を踏まえて、鉄添加の天目釉に、故意に「骨灰」や「チタニア」を加えて分相させてみた。すると、骨灰の場合は漆黒の天目釉に白い雲模様の釉調が得られるが、チタニアの場合は、あたかも燿変天目茶碗の青白い暈と、そっくりな乳白現象となったのである。それを**写真28**（p.16口絵参照）に示す。

　静嘉堂保蔵・燿変天目茶碗も、藤田美術館保蔵・燿変天目茶碗も、中心核が点付した物質による発泡痕として周りが青白くなっているという共通点がある。それは、核に多く存在する成分が周りに拡散し、その成分によって分相が生じたためであると考えられる。

　その分相を起こさせた成分が何であるかが、思考の焦点になる。

　当時の中国の製陶法を鑑み、骨灰かチタニアを含む岩石あるいは土を用いて分相を起こさせた、そのとき、鉄の存在が青白くしたのではないかと著者は想像する。

　中国の南方には石灰石やドロマイトを含む鉱物（ドロマイトアタパルジャイト）が産出されるので、釉にそのような土を混ぜれば、発泡は容易なことである。同時に分相促進物も混ぜれば、その周りに拡散して青白い暈模様ができると考えられる。

　その分相促進材の一つは骨灰である。動物の骨の主成分は、水酸アパタイト（$10CaO \cdot 3P_2O_3 \cdot H_2O$）であるから燐酸分を含んでおり、それが分相を容易にするのである。そのとき混ざっている成分と、鉄の存在で、分相部分が青白くなることがあるが、分相と青白さの関係では骨灰（$3CaO \cdot P_2O_5$）よりチタニア（TiO_2）の方が効果的である。

　燿変天目茶碗が作られたのは、中国の古代のことであるから、鉄とチタニアを含むルチル土のようなものを、発泡を起こさせる原料とと

もに混合して、あの青白い暈を醸しだしたものではないかと想像するのである。

　以上の考えのもとに実験を重ねてきたが、陶磁器の製作は、周知のように非常に複雑なプロセスが絡み、燿変天目釉の場合、核心に達しようと思っても、実験工学的手法では、あたかも、とがった棒の先にボールを乗せるくらい奇遇なことである。

　現存する燿変天目茶碗について言葉をかえせば、当時作られていた鉄釉天目茶碗に思いつきで何か細工をしたら、偶然にできてしまったというべき品物であって、再現性の高いことを目標に、考え抜いたあげくの製品ではないのかもしれない。そんなところに希少価値も生ずるのだろう。このように再現を志す陶芸家も多いにもかかわらず、境地に達した製品がいまだできていないのは、そのような難しさによるのかもしれない。

　以下、少しでも現象の解明に近づくことを願いながら、著者が実験した様子を記してみる。

　素地は、瀬戸の大学粘土40%、枝下木節30%、釜戸長石10%、シャモット20%で、それに弁柄1%を加えたものである。ゼーゲル式は0.03 $KNaO \cdot Al_2O_3 \cdot 2.34\ SiO_2$ で、かつて国立陶磁器試験所が土質の陶器用素地として開発した坏土である。

　表44に、燿変天目釉を目指して用いた、配合A釉と配合B釉のゼーゲル式と各原料の配合割合を示す。

　さて、試験をした結果であるが、なかなか現物に似た模様にするのは至難であった。しかし、暈に見立てた青白い模様の現象は、よく似たものができる。そのメカニズムは、実物の暈にあたる現象との関連に結びつけられるのではないかと思っている。

　写真29（p.17口絵参照）の小皿は、燿変天目茶碗の青白い暈模様の解明に供した、直径10cmほどの試験体である。これは、パターンも作り方も、世に存在する燿変天目釉とはほど遠いが、暈の青白いメカニ

表44　基礎釉の組成と配合

（配合A）

0.25 KNaO		三河砂婆	51.14%
0.25 MgO	$0.30\ Al_2O_3 \cdot 4.00\ SiO_2$	大分ドロマイト	17.85%
0.50 CaO		鼠石灰石	1.90%
		桃色タルク	－
		陣屋蛙目	2.89%
		陣屋珪砂	26.21%

（配合B）

0.33 KNaO		三河砂婆	53.38%
0.32 MgO	$0.38\ Al_2O_3 \cdot 4.40\ SiO_2$	大分ドロマイト	10.74%
0.35 CaO		鼠石灰石	1.14%
		桃色タルク	5.24%
		陣屋蛙目	2.30%
		陣屋珪砂	17.20%

ズムの解明には役立つ試験であったと思っている。

　前述の、陶器質の素焼き素地に、弁柄（Fe_2O_3）10%添加した配合A釉を施して、模様の中心に珪石30%、蛙目粘土10%、弁柄30%、TiO_2 30%の混合物を、核のように点描しておいた。

　その周りを、TiO_2 2%、弁柄3%添加した配合A釉で暈模様をまねて描いた。それが青白い模様になる組成である。

　また、模様の真ん中と付近に、核を付けずに、そのものだけも点付しておいた。

　それを1250℃酸化焔（SK8 OF）で焼成した。還元焔焼成では、地色は異なるが、模様に大きな変化はない。

　写真30（p.17口絵参照）は、直径15cmほどの夏茶碗に、弁柄8%添加した配合B釉を地釉とし、模様にはB釉にTiO_2 2%と弁柄2%を加えた

第16章　燿変天目釉をめざして

ものを点描したものである。焼成は**写真28**、**29**と同様に、電気窯SK8 OF（1250℃）で行なった。

第17章
軟火色釉

　中国では、殷の時代に灰を媒熔材とした「釉」が確立されたが、それ以前のBC4000年ころの中近東では、すでにガラスの発見があり、やがて、その技法を取り入れた釉が、東洋とは別の発想をもとに発展していった。このような釉は、いったん配合物をガラス化して粉にしたものを素地に施すという手法で行なわれたので、低い温度で融液化する、いわゆる「低火度釉」であった。

　古代エジプトやペルシャで用いられた釉は、ガラスの発見に関わるものであった。ゆえに当初は、珪酸ソーダガラス質の低火度釉であったと思われる。やがて、それに鉛を加えたNa_2O-PbO-SiO_2系のガラス質、つまり「フリット」が加飾に変化を与え、また、耐候性の向上が果たせる釉として、重宝に用いられるようになった。

　その手法は、シルクロードを経由して中国に渡り、「唐三彩」へと受け継がれていった。したがって、唐三彩の原点は、中近東のガラスの発見に辿りつくと考えて間違いないだろう。

　そのような技術発展の過程を経て現代に受け継がれた陶磁器は、低火度釉であるために、組成に「鉛」を用いることが多い。

　時が経って、明の時代には、それをもとに「上絵付け技法」が生まれ、「五彩」として盛んになった。その絵の具は、ガラス相中に遷移元素がイオン状に融け込んでいるため、透明で、光沢も優れていた。

したがって、そのまま低火度釉——つまり「軟火釉」としても応用できたのである。それは、顔料をガラスでくるめた不透明で光沢の乏しい西洋の上絵の具とは、大きな違いがあった。

日本では古くから「和絵の具」があり、銅胎に施釉した「七宝釉」がある。振り返ってみれば、それらは中国の唐三彩や五彩に学んだものであり、和絵の具も、ルーツはエジプトでのガラスの発見にあるといって過言ではなかろう。

したがって、ここで、その技術進化の道筋を嚙みしめながら、21世紀にも通用する低火度釉や軟火釉を、とくと、みつめてみることにしよう。

アルカリ－鉛－珪酸系のガラス——つまりフリットに、発色遷移元素を導入したものが日本の低火度釉（軟火釉）や和絵の具であることを述べたが、調べてみると、含まれるアルカリ元素はNa^+よりK^+の方が多い。なぜであろうか。そのあたりを考えてみるのも面白い。

それは、東洋でのアルカリの抽出法にあるとも考えられる。つまり、東洋ではアルカリを灰から抽出していたので、当然ながらK^+が多くなる。灰は、植物の栄養素の一つであるK^+を多く含み、自然にCa^{2+}とともに釉中のアルカリ成分として重点的に用いられるようになったと考えられ、そのいきさつが想像される。今では、それに硼酸分（B_2O_3）を併用することが常道となった。

中近東の着色釉の始まりは、「青釉」と呼ばれるものであった。それは古代のガラス、つまりNa_2O-SiO_2系で構成されるガラス（フリット）に、孔雀石（$2CuCO_3・H_2O$）を添加して青く発色させたものである。これは化学的耐久性に弱い。そのことは、発掘される古代の青釉を用いた焼き物が、風雨に侵触されて白銀色に変色したり、白粉をふいたりしていることで理解できる。

このように、Na_2O-SiO_2系釉は耐候性の悪いことが分かったが、それに対して「緑釉」と呼ばれるものも作られており、それは耐候性と

光沢に優れたものであった。緑釉は、発色させる加飾材に孔雀石（$2CuCO_3 \cdot H_2O$）を用いる点は青釉と同じであるが、ロードス島で発見された「方鉛鉱（PbS）」を媒熔材として追加したところ、発色を青色から緑色に移行させ、また、耐候性を格段に向上させたのである。その証拠に、中国の唐三彩は鉛を含む低火度釉であるが、銅を用いて緑に発色させ、また、古代の発掘品でも、しっかりとした光沢と色合いを、いまだに保っていることで分かる。つまり、鉛の導入が、耐候性向上に、いかに効果的であったかを、唐三彩は如実に物語っている。

アルカリ－珪酸系ガラスの耐久性を向上させるために、「石灰」の導入（Ca^{2+}）も、鉛と同じ働きがあった。現在の窓ガラス等はソーダーライムガラス（$Na_2O\text{-}CaO\text{-}SiO_2$）系というが、耐久性になんら問題を起こさないのは、そのためである。

このように、ガラス質の組織・構造で構成される「低火度釉」の発色および化学的耐久性は、その組成に大きく支配されることが分かってもらえたことと思う。

さて、日本の低火度釉（軟火釉）も、前述のように、まとめてみれば$K_2O\text{-}PbO\text{-}SiO_2\text{-}(B_2O_3)$系組成に代表されるといえるが、そのような組成は、東洋・西洋の折衷から生まれた「和絵の具」をモデルにした特徴が現れており、その伝統を受けていることは明らかである。

また、日本でも、低火度釉は鮮やかな加飾を目的としたものであったから、鉛分を用いることは有利なこととして、不文律に定着してきた。しかし、このような「含鉛釉」や後述の「セレン赤軟火釉」は、往々にして食器から重金属類が溶解する公害（以下、「食器公害」と呼ぶ）の規制に該当することが多いので、昨今の世情を思えば、あまり勧めるべきものではないかもしれない。それでも、カラフルな表現が自由にできるので、それを活かしたインテリア用品や置物への適用であれば、差し支えないと思うがいかがであろうか。けれども食器の内面釉としては、決して用いてはならない。

さて、東洋の低火度釉にK⁺の多いことは、前述のように、灰からの抽出物であるためと思われる。Pb^{2+}の導入は、西洋的な手法を取り入れているのだろう。そのような技術史的背景から発展した低火度釉は、発色が鮮やかであるため、作今の日本でも、陶芸品やクラフト陶磁器等によく用いられている。

　けれども上記のように食器公害の引き金になるような、化学的耐久性が劣ること、また貫入・剥離を起こすような機能的欠陥が生じやすいことも事実である。当世は、消費者の要求が加飾・造形による嗜好面とともに、高度な機能的価値をも要求するようになったので、もはや、その対応を怠ることはできなくなった。したがって、その両面が正しく対処できる知識・技術を製造現場において整備する必要がある。以下、その考え方を、なるべく詳しく説明してみよう。

　たとえば、$(K_2O \cdot Na_2O)\text{-}PbO\text{-}(SiO_2 \cdot B_2O_3)$系のフリット釉で、銅($Cu^{2+}$)を発色材に加えたとき、釉中の塩基性成分で$K_2O$や$Na_2O$が多ければ、色を「青く」する。$K_2O$の方が$Na_2O$より青い。つまり、アルカリ成分でも、塩基性の強い成分の方が青くするのである。

　PbOの導入は、それが多くなるにつれて、「緑色」に移っていくが、その原理は「配位子場理論」で、うまく説明できる。つまり、組成中に含まれているK^+、Na^+、Pb^{2+}では、Cu^{2+}の光吸収エネルギーの波長域を$K^+ \to Na^+ \to Pb^{2+}$の順に短波長の方へ移行させるので、その結果、色合いが変わるのである。MnO_2はアルカリが多い場合「紫色」であり、Pb^{2+}の置換で「茶褐色」に変わる。弁柄(Fe_2O_3)では、独特の「淡い緋色」から「黄色」に変わる。

　低火度釉（軟火釉）では、Al^{3+}の導入がなくてもよいが、鉄を「赤く」発色させるには、成分としてAl^{3+}が必要である。けれども、その場合は酸化鉄粒子の懸濁であるから、透明性は損なわれる。

　クロームで「緑」を得る場合にも、鉄赤と同じように、釉の成分が大きく影響する。つまりクロームはCr^{3+}とCr^{6+}があるが、仮に酸化ク

ローム（Cr_2O_3）を添加した場合、K^+やNa^+の大部分がクロームイオンを酸化してCr^{6+}に導くため、色を淡く、かつ「黄色」にする。

　Al^{3+}の導入は、Cr^{3+}を「緑色」に安定化させる効果もある。つまり、Al^{3+}はCr^{3+}と荷電数が同じで、しかもイオン半径も同じぐらいであるため、Cr^{3+}の酸化を防いで緑色に固定するのに役立ったのである。けれども軟火釉では、組成にアルカリを大量に用いるため、思うようにいかないことが多い。

　Fe^{3+}もCr^{3+}と同様な理屈で「赤色」を保つことができる。柿右衛門が「赤色和絵の具」を成功させたのも、Al^{3+}がFe^{3+}の固定化に有利に働くのを見いだしたことにあったと思われる。

　その他、「黄色」を発色させるには、アルカリの多い釉で鉄を添加してもよいが、鉛を多く用いた釉では、アンチモニー（Sb^{5+}）の導入が効果的である。この場合、黄色に発色するのはアンチモン酸鉛（$2PbO \cdot Sb_2O_5$）で、それが釉に懸濁しているのであるから、釉の透明性は損なわれる。

　「藍色」は、コバルト（Co^{2+}）で間に合う。

　問題は、鮮やかな赤系の色である。「紫味赤」には塩化金（Au^{2+}）が用いられ、また、石灰石、珪石と酸化錫に、Cr^{3+}を少量、固溶させたピンク色の顔料を代用として用いることがある。「真紅の緋色」は、セレン赤（$CdS\text{-}SeS$）顔料を用いるしかない。

　しかし、釉組成の選択を誤ると、色が消えたり、黒くなったりして、安定性と発色を整えるのが非常に難しいものである。世間では、セレン赤釉を鮮やかに発色させるにあたって「鉛」の存在は、よくないといわれる。しかし、場合によっては、赤色を濃くするのに有効な成分となる。むしろ、アルミナ分（Al^{3+}）の方がふさわしくない。

　亜鉛（Zn^{2+}）は色の黒化を防いだり明るくするのに有効な成分である。

　軟火釉を乳白させることは、発色をパステル調にする一つの方法で

ある。ガラス質の釉を乳白させるには色々な方法があるが、もっとも一般的な方法は、ジルコン（ZrO_2-SiO_2）の微粉末を添加することであろう。

　ジルコンが乳濁材となるのは、釉の侵触に強く、微粉砕されたものでも結晶として釉中に懸濁でき、釉の内部で光を散乱して乳白現象を醸しだすためである。しかし、釉表面に突き出すジルコン粒子もあり、それは光沢を低下させることになる。

　したがって、ジルコンは、乳濁を効果的にするためにも、光沢の低下を防ぐためにも、できるだけ微細粒子にすることが望ましい。また、乳白効果を得る別種の手法には、釉のガラス相を分相させる方法がある。

　古き時代の西洋で用いられた乳白釉は、イタリアのマジョリカにみられるように、「錫」が加えられていた。この酸化錫（SnO_2）を加えることによって、錫スフェーン（$CaO・SiO_2・SnO_2$）が分相過程を経て、生成するのである。

　同じような方法に、チタニア（TiO_2）を加えることがある。この場合もスフェーン（$CaO・SiO_2・TiO_2$）の生成と分相の相乗効果が、乳白現象を醸しだすのである。

　軟火釉の場合、分相の効果は硼酸（B_2O_3）の含有が有利である。また、鉛（Pb^{2+}）の存在も分相を容易にし、しかも、一方の分相相の光屈折率が高いので、乳白効果が大きい。この、分相のみによる乳白は、釉表面での光散乱が「結晶懸濁乳白」より小さいので、光沢を損ねることはない。

　以上、低火度釉や軟火釉の発色、加飾について述べたが、昨今の陶磁器は、物理的特性面や機能面をも考えあわせなくてはならない。その点も、組成の適正化によって解決されることが多い。しかし、意のままに加飾しようとする思惑方向と、化学的耐久性の向上や熱膨張によって起こる弊害を防ぐ手法が、必ずしも同じ方向性をもつわけでは

ない。

　たとえば、乳白効果を醸しだすために釉を分相させたとき、一方の分相相は化学的耐久性が極端に低下する。したがって、加飾技法と公害の対処法とは両立しない。

　現代陶磁器は、このような両面要素の具備が前提となるので、製作者が意志を表現する際には、キャンバスに絵の具を使って描く画家よりも、はるかに高い科学的知識が必要となるのである。つまり、材料の素性・特性を充分に心得て、価値ある陶磁器の製作に打ち込み、21世紀に通用する陶磁器の地位を築くことに励まなければならない。

　さて、化学的耐久性を向上させるには、アルカリよりアルカリ土類の方が、また、それぞれイオン半径は小さい方がよい。つまり、アルカリでは$K^+ < Na^+ < Li^+$であり、アルカリ土類では$Ba^{2+} < Sr^{2+} < Ca^{2+} < Mg^{2+}$の順となる。また、上述のように、分相は避けなければならない。

　このような塩基性成分の選択の正しさとともに、それ以上に効果が期待される手法として、珪酸分（SiO_2）を充分に採ることが必要になる。珪酸は、釉の組織・構造の骨格となるものであるから、それを強固にすることが、化学的耐久性の向上に強く働くのである。

　他方、珪酸分の導入は、釉のようなガラス質において熱膨張を小さくするので、貫入を少なく、あるいは防ぐことにも効果的である。けれども、釉の粘稠度を高くして表面の滑らかさが損なわれる。

　このような現象は、陶磁器において高火度釉、低火度釉の区別なくいえることであって、適切な比喩ではないが、陶磁器の芸術的表現を行使するに、絵画の「平面思考」に対して、より科学的要素を加えた「立体思考」を必要とすることを、再度、強調しておこう。

　さて、**写真31**（p.18口絵参照）に、軟火釉と呼ばれるもののうち、「赤」、「黄」、「青」を表現する三つの試料を提示してみた。

　左はセレン赤顔料を添加した「赤軟火釉」であり、中央はクロム酸バリウム（$BaCrO_4$）を添加した「黄軟火釉」、右は酸化銅（CuO）

第17章　軟火色釉

を添加した「青軟火釉」である。これらは加飾を主とした釉であって、化学的耐久性に優れているわけではない。したがって、化学的耐久性を求めるものではなく、「発色」を基調とした軟火釉の例であるととらえてほしい。これらの組成を表45に示す。

くどいようであるが、軟火釉によってそれぞれの発色釉調を醸しだすためには、用いるフリットの選択が大切であり、それを誤ることは絶対に許されない。たとえば、写真31左のセレン赤軟火釉の場合、用いるセレン赤顔料は非常に熱に弱く、いかなる組成のフリットに混入しても、1000℃の焼成温度を越えることは困難である。

ただし、自動車のテールランプに以前用いられていた「赤ガラス」の製造のように、硫化カドミウム、金属セレン、硫黄を混入する、「ガラス的製造法」であれば、可能性はある。たとえば、炭酸ソーダ13.70%、炭酸カリ11.36%、亜鉛華9.37%、硼砂0.88%、珪石63.20%、金属セレン粉末0.78%、硫化カドミウム0.64%、硫黄0.05%を混合して溶融し、フリット化したものは、1100℃程度まで使用することができる。

写真31左の「セレン赤軟火釉」は、表45のAフリットにセレン赤顔料を7%添加して、800℃で焼成したものである。陶磁器の加飾において、「真紅の緋色」に発色させるのは大変困難で、低火度焼成であっても、この「セレン赤」以外にはないのである。

また、フリットの選択も難しく、Aフリットのようなものでないと成功しない。つまり、フリットの組成に「鉛」の含有は避けるべきであるといわれていたが、適度な量であれば、むしろ必要成分である。

「亜鉛」は、色を明るくするが、量を超すと「黄色化」に導いてしまう。強いて、よくない成分といえば「アルミナ」で、その多量の混入は色を「黒化」させる。

写真31中央の「クローム黄軟火釉」は、Bフリットにクローム酸バリウム（BaCrO₄）を外割り2%添加して、800℃で焼成したものである。

表45　各軟火釉の組成

(フリットのゼーゲル式)

Aフリット		Bフリット	
0.20 K₂O		0.27 K₂O	1.60 SiO₂
0.20 Na₂O	1.60 SiO₂	0.40 Na₂O	
0.30 CaO		0.33 CaO	1.80 B₂O₃
0.20 ZnO	1.80 B₂O₃		
0.10 PbO			

(フリット配合割合)

	硼砂	硼酸	炭酸カリ	石灰石	亜鉛華	鉛丹	珪石
A：	17.2	39.1	6.3	6.8	3.7	5.2	21.7
B：	34.5	27.9	8.4	7.5	—		21.7

写真左：セレン赤軟化釉はAフリットにセレン赤顔料を外割り7%添加した。
写真中央：クローム黄軟火釉はBフリットにクローム酸バリウム（BaCrO₄）を外割り2%添加した。
写真右：トルコ青軟火釉はBフリットに酸化銅（CuO）を外割り1%添加した。使用した素地は、いずれも焼成した無釉の磁器素地で、800℃酸化焔で焼成した。
セレン赤顔料の配合：硫化カドミウム（CdS）81%、金属セレニウム（Se）19%、にマグネシア（MgO）を外割り3%添加して650℃で煆焼する）

　写真31右の「トルコ青軟火釉」は、やはりBフリットに酸化銅（CuO）を外割り1%添加したものである。この二つの場合は同じフリットが使える。つまり、クローム酸バリウムのクロームはCr^{6+}、銅はCu^{2+}であり、両者とも、Pb^{2+}やZn^{2+}を含まないアルカリ性の強いフリットを用いた場合、そのようなフリット組成は酸化性であるため、クロームや銅を「酸化」の方向に安定化させて、クロームを「黄色」に、銅を「青色」に導くからである。

　したがって、ここに提示した黄色と青色の軟火釉は、同じフリット

組成によって、色合いを自由に操ることができる。たとえば、「緑色」の軟火釉は簡単にできる。クローム（Cr^{6+}）と銅（Cu^{2+}）を併用すればよいのである。

なお、三者とも用いた素地は、焼成した無釉の磁器素地である。軟火釉は、アルカリやアルカリ土類が多いため、熱膨張が大きく、貫入を避けるのは難しい。したがって、三つの試料すべてに網目模様の貫入が見られるのである。

軟火釉はフリットの組成が大切であることを述べてきたが、市販のフリットの中から、ふさわしいものを探すのは容易なことではない。したがって、できれば自作することが望ましい。組成配合物を坩堝にいれて、高温で熔融すればよいが、発泡して坩堝からこぼれ出ることがあるので注意して融かす。よく熔融したら坩堝鋏で窯中から取り出し、水を張った容器の中に投入する。水中に投入することにより、融液状の加熱フリットの塊に、無数の亀裂が入るため破砕・粉砕は容易になる。

また、クローム酸バリウム（$BaCrO_4$）を市販で入手することも難しいかも知れない。したがって、それも自作する方法を記しておく。たとえば、重クローム酸カリ（$K_2Cr_2O_7$）を水に溶かしておいて、塩化バリウム（$BaCl_2$）を加えると、「黄色」の沈澱ができる。そのとき、アンモニアで溶液をアルカリ性にしておく必要がある。それを濾過して乾燥すれば、クローム酸バリウムの着色材が得られる。

本章の冒頭で述べたように、中国の「五彩」や日本の「和絵の具」は、軟化釉の手法に通ずるものがある。日本で用いられる和絵の具のルーツは中国の五彩であったから、灰とアルカリを含む岩石に、唐の土のような鉛を加えて作られたものと思われる。代表的な色合いは、鉄（Fe^{3+}）による「赤」と「黄」、銅（Cu^{2+}）による「緑」と「青」、それにマンガンMn^{4+}による「紫」であるが、それらは組成変化とともに色合いが大きく変わるものである。その様子を**写真32a〜c**（p.19

表46 和絵の具試験に用いたフラックスの組成

	鉛丹(Pb₃O₄)	炭酸カリ	朝鮮カオリン	福島珪石
PbO・2SiO₂	65.55	−	−	34.45
0.5PbO・0.5K₂O・2SiO₂	22.77	37.65	−	39.58
PbO・0.3Al₂O₃・2SiO₂	53.64	−	18.17	28.19

（熔融してフリットにする）

〜21口絵参照）に示して説明しよう。用いたフラックスの組成は、**表46**に示しておく。

　和絵の具は、これまで述べてきたように、ガラス質フラックスに鉄や銅のような遷移元素がイオン状で融け込んだものである。そのため、色合いは組成変化に敏感である。

　写真32a（p.19口絵参照）のCu^{2+}添加では、古代の中近東で用いられた「青釉」、「緑釉」の手法をそのまま再現したものである。つまり、三角図形に並べてある頂点のフラックス組成はPbO・2SiO₂組成であるから、その発色は緑釉と同じ原理である。左下の隅のように、Pb^{2+}をK^+に置換したものが、もっとも鮮やかな「青」であるが、それも、中近東で発見された青釉に通ずるものである。

　写真32b（p.20口絵参照）のFe^{3+}添加の場合も、フラックス組成による色合いの変化は鮮やかである。和絵の具ではFe^{3+}によって「黄」と「赤」の色合いを出しているが、写真のように、黄絵の具としては、珪酸鉛組成にアルカリ成分、特にK^+の導入が効果がある。柿右衛門が成功した赤和絵の具は、写真右で見られるようにAl^{3+}を導入したものであろう。

　また、Fe^{3+}添加で面白い現象は、PbO・SiO₂組成のPb^{2+}をK^+に置換していくと、漸次黄味になっていくが、多量の置換ではピンク色になったことである。同じFe^{3+}であっても、組成変化に応じて配位子場が弱くなり、そのために光の吸収波長帯が長波長側に移行して、赤く

第17章　軟火色釉

なったのである。

　和絵の具では「紫」をMn^{4+}で成就しているが、K^+を多くすることでも、**写真32c**（p.21口絵参照）の三角図形の左下端にみるように、鮮やかな紫を作ることができる。

　このような発色原理が、和絵の具の様子を知ることになるのであるが、当世では塩基性の高いフラックスは化学的耐久性が低く、しかも鉛を多く含む和絵の具は、食器公害の厳しい規制のもとに、その利用には大きな制約を受けることを知っておかなければならない。

第18章

素地坏土および釉調整のために考えてみよう

　陶磁器を作る原料は、ほとんどが天然の土や岩石であるから、採掘する場所や日時がわずかに変わっても、成分構成に変動があるのは当然である。したがって、常に造形・装飾・機能等において安定した品物を作るには、原料の素性をその都度正しく把握・管理し、間違いなく調整された「坏土」や「釉」を用いる必要がある。

　天然原料であるということで、組成変動がやむを得ないとすれば、それに応じて柔軟に修正・対処する技量を持ち合わせていなければならない。それを怠ると、異なる価値の製品になったり、欠陥の発生に悩まされて、途方に暮れることになる。したがって、できる限り、リスクを負わないための対策手法を、ここで説明しておこう。

　まず、原料の「素性」や「変動」を確かめるために、もっとも大切なことは、原料の成分組成であるから、その都度、丹念に化学分析をする必要がある。利用者側とすれば、入手する原料は、身分証明のように偽りない「化学分析値」が常に付いていることが必須条件といえる。

　陶磁器を作る原料は色々あるが、たとえば磁器の素地を配合するとき、九州地方では「天草陶石」を微紛・水簸したセリサイト質を中心にして坏土を作る。東海地方では、砂婆と粘土で坏土調整することが多い。砂婆の構成鉱物は「長石」と「珪石」であり、粘土原土は「カ

オリン」や「ハロイサイト」などの粘土鉱物に、「珪砂」や「長石」等が混入しているものである。

　これらはいずれも天然鉱物であるから、前述のように組成変動があることを前提としなければならない。しかし、それらの成分はすべて陶磁器を作るにあたって必要不可欠の成分であるから、好ましいときの製品の組成を化学式（ゼーゲル式）で記録しておいて、もし、原料に成分変動があった場合、その化学分析データから、記録されているゼーゲル式に合致するよう合理的に窯業計算をして収斂された配合比を算出すれば、いつも同じ品質の素地を作ることができる。

　原料の銘柄・組成構成に、理に反するような大幅な変化のないことを条件に、採掘地区内での同系列の鉱物で、成分の量関係ぐらいの変動であれば、とくに心配なく修正配合を導くことができる。

　ここでは、東海地方で容易に入手できる原料を用いて、磁器を作ることを例題にしよう。この手法は、これまで陶芸家、クラフト作家、学生、現場技術者に提案してきたものである。著者の思い上がりと思うが、確かに注目してくださった陶業者もあった。けれども、業界に急速なインパクトを与えたという感触はないのである。それはなぜなのか、今、そのあたりの思惑を、謙虚な気持ちで考えている。

　一つは、原料を利用する「業界システム」に原因があると思う。従来は、素地坏土を製造する場合、前述のように、焼き物の基盤原料である粘土を水簸行程によって侠雑物を除き、「粘土分」、「長石分」、「珪石分」と、鉱物銘柄をできる限り分離・単純化して配合していた。

　これに対し、著者の提案した骨子は、粘土原土に含まれている珪砂や微砂（未分解の長石や雲母等）は陶磁器成分として必要成分であるから、分離して用いることはないではないかということである。そのプロセスを合理的に整備して、原土・原石を丸ごと利用すれば、陶磁器界にとって、製造コストと価値ある製品を作るために、非常に有利なことであろう。

そのためには、これまで分業間で行なわれていた不文律も改革しなければならない。原料採掘→精製処理→坏土加工→製造というプロセスが従来の製産過程であったが、その流れを変えようというのであるから、摩擦や抵抗もあるだろう。そこが難しいところである。自由主義経済のもとでは、このような現象は当然であり、決してスムーズに事が運ぶとは思っていない。

　けれども、「製造プロセスを簡素化」し、「品質の安定化を図る」という、これから述べる手法は、「コストの低減」に有利であると認識される人もあろう。また、原料の組成変動で、製品の再現性に困っている人がいるのも事実である。その人々のために、具体的な実例を挙げ、実践に向けた説明をしておく必要があると考える。

　日本は、いうまでもなく世界屈指の陶磁器生産地である。その中心地は東海地方であって、とりわけ瀬戸や東濃の粘土資源は、日本の陶磁器産業を支えている。とくに瀬戸の粘土は産業的粘土としての品質に優れ、融通性が高いために、無分別に、多用途に使われてきたふしがある。それがために、限りある資源の残りはいくばくかとなり、大変憂慮される事態となってきた。

　粘土があってこそ陶磁器産業は成り立つのであるから、後世へ多くの粘土資源を残しておかなければならない。そのためにも、大切な粘土資源を、ムダなく有効に利用するプロセスの確立が大切で、それは、いまや陶磁器産業に携わる人々の義務である。

　さて、その実践説明に入るが、東海地方の磁器を例題とする。

　通常の磁器素地は、長石分、珪石分、粘土分で配合される。長石分および珪石分は砂婆でまかなうことができる。可塑性に必要なのは粘土分であるが、天然の粘土原土からは、粘土分と珪石分、それに少量の長石分がまかなえる。

　従来は、成分の安定化を図る目的で原土を水簸して粘土分を抽出し、残渣の珪砂をガラス原料に回していた。しかし、砂婆や粘土原土を構

成する成分は陶磁器原料として必要不可欠な成分ばかりであるから、場合によっては、水簸の必要はないことが多い。これをふまえて、効率よく、経済的に陶磁器を作ることを目的に、銘柄を変えた原料を用いても同一性質の磁器を作る方法を説明してみる。

　素地のゼーゲル式を、$0.25KNaO・Al_2O_3・7.00SiO_2$のように、常に一定であることを前提とする。原料の構成成分が産出場所や採掘日時によって変動があっても、ゼーゲル式は、いつも同じ品質の製品に収斂させるための指標となる、もっとも大切な記録である。

　用いる原料は、媒熔原料として「小原砂婆」、「大平長石」、可塑性原料として「暁白土原土」、「陣屋水簸蛙目」である。素地調整には「珪砂」や「キラ」、それに未分解の長石を含む「陣屋蛙目原土」、それに補助の必要を考えて「陣屋珪砂」も原料に加えた。ここでは経済性を重視しているため、原土のみの使用を考え、粘土鉱物を水簸して抽出した珪砂は、できるだけ使わないこととした。

　釉原料には「鼠石灰石」と「大分ドロマイト」を用いた。

　まず、磁器素地坏土の調整には、原料の変動を想定して、二種類の配合を試みる。採用した原料の素性を**表47**と**表48**に示す。けれども、ここに示した化学分析値はある時点の一例であって、常に変動することを忘れてはならない。しかし、それがあっても慌てることはないと説くのが、ここでの主旨である。

　瀬戸、東濃、南木曽地帯の花崗岩層は風化が進み、地殻の造山輪廻の老齢期であって、風化途中の「砂婆」や、カオリニゼーションの進んだ「蛙目」や「木節」が産出する。それらの母岩は「花崗岩」であるので、「磁器坏土」を目的とするならば、鉄分を含む「雲母」を取り除けば、すべて陶磁器原料になる。組み合わせしだいで、あらゆる種類の陶磁器を作ることが可能とさえいえる。

　そこで、**表49組み合わせ1**（p.143参照）は、長石分、珪石分をまかなう原料として、小原の砂婆を用い、可塑性の充分な粘土として暁

表47 原料の化学分析値

	SiO₂	TiO₂	Al₂O₃	Fe₂O₃	MgO	CaO	K₂O	Na₂O	Ig.loss	Total
小原砂婆	73.13	0.02	14.17	0.24	0.04	0.77	8.16	2.77	0.16	99.46
大平長石OF-11	76.24	0.02	13.11	0.08	0.04	0.43	6.98	2.83	0.27	100.00
インド長石	66.64	0.01	17.47	0.04	−	0.29	13.17	1.79	0.59	100.00
暁白土原土	66.34	0.87	22.58	0.77	0.16	0.12	0.53	0.16	8.48	100.01
陣屋水簸蛙目	48.90	0.56	33.47	1.10	0.26	0.17	1.50	0.09	13.94	100.00
陣屋蛙目原土	82.26	0.13	10.82	0.26	0.04	0.08	2.54	0.63	3.24	100.00
陣屋珪砂	98.12	−	0.63	−	−	−	0.21	−	−	100.00
朝鮮カオリン	49.97	−	37.18	0.35	0.01	0.41	0.58	0.28	12.49	99.27
鼠石灰石	0.40	−	0.20	0.02	0.04	55.05	0.05	0.20	43.80	99.76
大分ドロマイト	2.99	−	−	−	15.17	36.33	−	−	45.48	99.97

表48 原料の構成鉱物割合

	長石分	珪石分	粘土分	その他	KNaO	Al₂O₃	SiO₂
					ゼーゲル式		
小原砂婆	71.468	25.064	1.999	1.469	1.000	1.059	9.275
大平長石OF-11	64.797	32.064	2.287	0.852	1.000	1.073	10.595
インド長石	93.119	5.646	0.707	0.529	1.000	1.016	6.579
暁白土原土	4.535	38.613	56.291	0.561	0.037	1.000	4.978
陣屋水簸蛙目	9.804	5.591	83.792	0.885	0.053	1.000	2.480
陣屋蛙目原土	20.330	61.393	18.048	0.230	1.000	2.858	36.883
陣屋珪砂	1.216	97.755	1.029	0.000	0.001	0.004	1.000
朝鮮カオリン	5.798	1.603	91.843	0.756	0.293	1.000	2.190

	石灰石分	ドロマイト分	その他	CaO	MgO	その他
鼠石灰石	98.980	0.185	0.835	0.987	0.001	0.012
大分ドロマイト	27.298	69.699	3.003	0.633	0.367	0.000

白土原土を用いてみたが、それだけでは磁器として珪酸分が不足する。そこで、珪酸分を補給する意味で陣屋蛙目原土を用いた。これには粘土が含まれているので可塑性の補足にもなる。

　組み合わせ1の計算プロセスを**表49**（p.143参照）で説明しよう。各

原料は色々な成分を含んでいるが、素地としての主要成分はKNaO、Al_2O_3、SiO_2である。その他の成分は無視できる程度の量なので、ここでは省略した。

　表中の二行目は釉のゼーゲル式の数字である。KNaOのモル比は0.25と設定したが、KNaOを含む原料は小原砂婆と陣屋蛙目原土であるから、その割合を定めなくてはならない。しかも、この手法は水簸行程を省くことを主旨としたので、できるだけ水簸副産物の珪砂を配合しないようにしたい。そのように考えると、0.25KNaOの78%、つまり0.195モルを小原砂婆、22%の0.055モルを陣屋蛙目原土からまかなえばよいことになる。

　先ほど、珪砂は使わないようにしたので、そのために比率を探って、珪砂の配合量をなくす操作をするのである。その操作を筆算で行なっていては大変面倒なことであるから、著者は**表49**の計算手順を手作りでプログラム化し、パソコンを用いて行なった。

　小原砂婆は、**表48**（前頁）のようにKNaO・$1.059Al_2O_3$・$9.275SiO_2$であるから、KNaOの0.195モルを取るとすれば、Al_2O_3は0.207モル、SiO_2は1.809モルをゼーゲル式から差し引くことになる。その値を4行目に記す。

　残りのKNaOは0.055モルであるから、その全部を陣屋蛙目原土でまかなうことにする。その取り分は、小原砂婆のときと同じような計算手法で定め、5行目に記す。その残りが6行目であるが、ちょうど、暁白土の分子構成からの取り分に、ほぼ一致するのである。

　このようなことができるのは、先ほどパソコンを用いて小原砂婆と陣屋蛙目原土のKNaOの取り分比率を矛盾なく決定したことにある。こんな操作は、たかが窯業計算といっても、かなり複雑であって、パソコンなしではできない計算だろう。後は配合比率を計算すればよい。

表49　配合計算式

（組み合わせ1）

	アルカリの分配割合	KNaO	Al₂O₃	SiO₂	配合比	配合%
		0.25	1.00	7.00		
小原砂婆	0.78%	0.195	0.207	1.809	148.85g	25.49%
		0.055	0.793	5.191		
陣屋蛙目原土	0.22%	0.055	0.157	2.029	148.65g	25.45%
		0	0.636	3.162		
暁白土原土			0.636	3.166	286.49g	49.06%
			0	−0.004		
陣屋珪砂				−0.004	−0.24g	−0.00%
				0		

（組み合わせ2）

	アルカリの分配割合	KNaO	Al₂O₃	SiO₂	配合比	配合%
		0.25	1.00	7.00		
大平長石	0.54%	0.135	0.145	1.430	112.50g	19.27%
		0.115	0.855	5.570		
陣屋蛙目原土	0.46%	0.115	0.329	4.242	310.81g	27.47%
		0	0.526	1.328		
蛙目水簸物			0.526	1.304	160.37g	53.25%
			0	0.024		
陣屋珪砂				0.024	1.44g	0.01%
				0		

　たとえば、小原砂婆は、原料100g中に0.131モル含まれている。つまり0.195モルでは148.85gとなる。以下、同じように陣屋蛙目原土では148.65g、暁白土原土では286.49gとなる。百分率にしたものを、その右に記しておく。

　このように、原料組成に変動があった場合、あるいは原料の銘柄が変わったときを想定した例として、**組み合わせ2**を示しておこう。

　原料は、小原砂婆の代わりに大平長石、暁白土の代わりに陣屋蛙目の水簸物にした。原料の銘柄が変わり、配合比率も大幅に変わったが、

ほぼ同じ製品ができる。そのとき、KNaOの大平長石から取る割合は0.54モル、陣屋蛙目原土からは0.46モルとなる。これも組み合わせ1と同じように、三種原料配合で余分な珪砂の配合をなくすために、パソコンで計算するのである。

このようにして、可塑性原料を水簸しない、地域の原土原料のみで、あるいは、それを用いても、確実に磁器の坯土が調製できる。

けれども、この手法は原料採掘分野の協力がなければ成就しない。つまり、ストックヤードにある原料は、よくブレンドされていて、その組成が明確になっている必要がある。入れ換えた時は、その都度、化学分析が試されていなくてはならない。

次に、「釉」の例を示しておこう。組み合わせ3は、比較的不純物の少ない原料で作った磁器釉である。このときの釉の線熱膨張係数は4.92×10^{-6}／℃であった。

素地はSK 10 RF（1300／℃還元焔）で焼成したとき4.78×10^{-6}／℃であって、素地と釉の熱膨張は、ほぼ同じであるから、貫入やシバリングの起こらない「透明釉」となる。ただし素地は、坯土調整時の粉砕の程度、それに焼成温度、雰囲気や焼成時間によって、その組織・構造が刻々と変わる。それにつれて熱膨張も変化する。

たとえば、磁器素地では、酸化焔より還元焔の方が焼成反応が進んで熱膨張を小さくすることが多い。そのようなとき、仮に酸化焔焼成で無貫入であった釉が、還元焔焼成では貫入が発生することがある。

窯業とは、「窯を操る業」であるから、焼成の仕方には、とくと気を配らなければならない。

組み合わせ4は、廉価で入手の容易な原料で釉配合を考えてみたものであるが、機能的特性は組み合わせ3とまったく同じである。

ここに挙げた例題のように、原料銘柄が変わった素地や釉を用いても、製品の機能的特性はまったくといってよいほど同じ物ができるのである。ちなみに、素地の組み合わせ1と2はまったく同じ熱膨張を

〈釉の場合〉

(組み合わせ3)

	KNaO	MgO	CaO	Al₂O₃	SiO₂	配合比	配合%
	0.30	0.20	0.50	0.60	5.50		
インド長石	0.30	–	–	0.305	1.974	177.84g	35.39%
	0	0.20	0.50	0.29	3.526		
朝鮮カオリン	–	–	–	0.295	0.673	80.95g	16.11%
	0	0.20	0.50	0	2.853		
大分ドロマイト	–	0.20	0.354	–	–	53.16g	10.58%
	0	0	0.155	0	2.853		
鼠石灰石	–	–	0.155	–	–	15.85g	3.16%
	0	0	0	0	2.853		
陣屋珪砂	–	–	–	–	2.853	174.65g	34.76%
	0	0	0	0	0		

(組み合わせ4)

	KNaO	MgO	CaO	Al₂O₃	SiO₂	配合比	配合%
	0.30	0.20	0.50	0.60	5.50		
小原砂婆	0.30	–	–	0.318	2.783	228.46g	55.06%
	0	0.20	0.50	0.282	2.717		
陣屋蛙目	–	–	–	0.282	0.699	86.02g	16.97%
	0	0	0.354	0	2.018		
大分ドロマイト	–	0.20	0.354	–	–	53.16g	10.49%
	0	0	0.155	0	2.018		
鼠石灰石	–	–	0.155	–	–	15.85g	3.13%
	0	0	0	0	2.018		
陣屋珪砂	–	–	–	–	2.018	123.51g	24.36%
	0	0	0	0	0		

示し、釉の組み合わせ3と4についても同じである。ただ、不純物の混入量は、素地配合1と2で、また釉配合3と4で若干違うため、磁器としての白さが異なることは、いたしかたなかろう。

このような手法を用いて、少しでも廉価で高度な機能を備えた陶磁

器製品を作らなければならないのが、21世紀の日本の陶磁器界の姿となるだろう。日本は陶磁器の先進国であるが、生産性向上に傾向しすぎたのが20世紀であった。今後、日本は「科学技術立国」としてのグローバルな地位を得ていかなければならず、陶磁器産業といえども、より価値の高い製品を、高度な技術をもって世に送りだす心構えがなければ、誇り高い伝統と価値を失うことになる。

本書の執筆にあたっては、日本の陶磁器技術の維持と発展を願い、とくに陶芸・クラフト陶磁器家に参考になればと、知識の啓蒙に心がけたつもりである。したがって、説明には、用いる原料の素性を明らかにしながら、合理的な配合計算のもとに試作した結果の報告に勉めた。

付加した写真も、陶芸的な価値あるものでは決してないが、このように現実的に思考を促すための試作物であることを、ここに断っておく。

◆著者略歴◆ **高嶋廣夫**（たかしま　ひろお）
1932年、瀬戸市に生まれる。1951年、通産省工技庁陶磁器試験所に入所。1986年、「赤外線放射体およびその利用法の研究」により科学技術庁長官賞受賞。1987年、「陶磁器釉の性状評価と開発における赤外線反射スペクトルの応用」の研究により工学博士（東京工業大学）取得。1988年、「陶磁器釉および顔料の開発と組織・構造の研究」により大倉和親記念財団より表彰。

主な著書
『窯業計算の仕方』（共著）、窯技社、1969年
『遠赤外線の利用技術とその応用・例』応用技術出版、1986年
『食品と遠赤外線』（共著）、ビジネスセンター社、1986年
『やさしい遠赤外線工学』、工業調査会、1988年
『遠赤外線セラミックスの放射特性と作用効果の測定・評価技術』、技術図書出版、1991年
『陶磁器釉の科学』、内田老鶴圃、1994年
『実践陶磁器の科学』、内田老鶴圃、1996年
『遠赤外線の科学』、工業調査会、2000年

趣向の陶磁器　その技法
（しゅこう　とうじき　ぎほう）

初版第一刷　2000年7月31日

著者
高嶋廣夫
（たかしまひろお）

発行者
佐々木久夫

発行所
株式会社 **人間と歴史社**
〒101-0062　東京都千代田区神田駿河台3-5
電話 03-5282-7181(代)
郵便振替 00150-0-57397

造本・装丁
妹尾浩也

印刷・製本
株式会社 **シナノ**

©2000 Hiroo Takashima
ISBN4-89007-120-2

落丁、乱丁本はお取り替えします。定価はカバーに表示してあります。